Edith Münch

Wissen und raumbezogene Identitäten

Wie Kommunen und Gemeinden durch gemeinsames
Wissensmanagement voneinander lernen können

Individuelles Wissen in Neujahrsreden niederrheinischer Bürgermeister
für ein modernes Selbstbild der Stadt

PERSPEKTIVEN GERMANISTISCHER LINGUISTIK (PGL)

Herausgegeben von Heiko Girnth und Sascha Michel

ISSN 1863-1428

8   *Edith Münch*
Wissen und raumbezogene Identitäten: Wie Kommunen und Gemeinden durch
gemeinsames Wissensmanagement voneinander lernen können
Individuelles Wissen in Neujahrsreden niederrheinischer Bürgermeister für ein modernes
Selbstbild der Stadt
ISBN 978-3-8382-0317-1

Edith Münch

WISSEN UND RAUMBEZOGENE IDENTITÄTEN

Wie Kommunen und Gemeinden durch gemeinsames
Wissensmanagement voneinander lernen können

Individuelles Wissen in Neujahrsreden niederrheinischer Bürgermeister
für ein modernes Selbstbild der Stadt

ibidem-Verlag
Stuttgart

Bibliografische Information der Deutschen Nationalbibliothek
Die Deutsche Nationalbibliothek verzeichnet diese Publikation in der
Deutschen Nationalbibliografie; detaillierte bibliografische Daten sind im
Internet über http://dnb.d-nb.de abrufbar.

Bibliographic information published by the Deutsche Nationalbibliothek
Die Deutsche Nationalbibliothek lists this publication in the Deutsche Nationalbibliografie;
detailed bibliographic data are available in the Internet at http://dnb.d-nb.de.

∞

Gedruckt auf alterungsbeständigem, säurefreien Papier
Printed on acid-free paper

ISSN: 1863-1428

ISBN-13: 978-3-8382-0317-1

© *ibidem*-Verlag
Stuttgart 2012

Printed in Germany

Geleitwort

Auch der germanistischen Linguistik hat der Geist der neuen Studiengänge „Berufsorientierung" verordnet. Übersehen wird dabei gelegentlich, dass es d i e Arbeitsmärkte und d i e Tätigkeitsfelder immer weniger gibt. Informationen werden in Datenbanken abgelegt. Es kommt in Zukunft verstärkt darauf an, aus diesen Informationen Wissen zu machen und das Wissen fachübergreifend zu vernetzen, weil die Probleme keinen Halt vor den einzelnen Disziplinen machen. Als Beispiel sei der Umgang der Städte mit der demografischen Herausforderung genannt. Es handelt sich hierbei um ein Multi-Ziel-Problem, für dessen Lösung Wissen aus unterschiedlichsten Bereichen erforderlich ist. Städte brauchen das Erfahrungswissen der Bürger sowie die Fähigkeit zu Selbstorganisation und kommunaler Kooperation. Um dieses vielseitige Wissen zusammenzuführen, sind linguistisches Wissen über Textdeutung und Textanalyse sowie Methoden der qualitativen Sozialforschung zu kombinieren.

Edith Münch hat dies mit ihrer Analyse von insgesamt 35 Neujahrsreden niederrheinischer Bürgermeister eindrucksvoll belegt. Sie konnte zeigen, dass Bürgermeister bestrebt sind, Kollektivität, Identität und Konsens herzustellen. Durch das Zusammenfügen aller Texte zu einem semantischen Netz, das Erkunden dieser Meinungslandschaft und durch die Konstruktion eines sog. Gestaltenbaumes wurde sichtbar, welche Themen auf welchen Abstraktionseben wie relevant sind. Ganz oben im Gestaltenbaum siedeln die Themen „Engagement", „Mitmachen" und „Investitionen". Ober- und Unterthemen können exakt „vermessen" werden. So rangiert beispielsweise das Thema „demografischer Wandel" auf einer mittleren Abstraktionsebene und ist verknüpft mit den Themen „Stadtentwicklung", „Miteinander der Generationen" und „Wohnen". Zugleich wird deutlich, dass der „demografische Wandel nicht nur eine Herausforderung an Städtebau und Infrastruktur ist, er ist vor allem eine Herausforderung an das Denken", wie es eine der Neujahrsreden auf den Punkt gebracht hat.

Mit Hilfe des von Univ.-Prof. Dr. Josef Zelger (Innsbruck) entwickelten PC-unterstützten Verfahrens der multimodalen Inhaltsanalyse, GABEK®-WinRelan®, hat die Autorin das auf die Zukunft der Städte bezogene Wissen von Bürgermeistern vernetzt und Konvergenzen und Divergenzen aufgezeigt. Damit beweist Edith Münch als Linguistin gleichermaßen Engagement und den Mut, sich über die Grenzen ihres Faches hinauszuwagen. Ich wünsche deshalb dem Buch die Anerkennung und Verbreitung, die es verdient - in der Germanistik und im Forschungsfeld „Knowledge Democracy" ebenso wie in den neuen Tätigkeitsfeldern der Wissensorganisation und Bürgerkommunikation.

Bonn/Bochum, Oktober 2012   Prof. Dr. Helmut Ebert

Vorwort

Die vorliegende Studie basiert auf den Erkenntnissen und Ergebnissen der Magisterarbeit, die die Autorin der Philosophischen Fakultät der Universität Bonn im Jahre 2010 vorgelegt hat. Sie entstand vor dem Hintergrund der aktuellen Wissens- und Identitätsdebatte, an der sich deutsche Städte und Gemeinden aktiv beteiligend nach innovativen Ideen für die Konzeptualisierung eines modernen Selbstbildes suchen.

Mein ganz besonderer Dank gilt in erster Linie Prof. Dr. Helmut Ebert, der mir bei der Erstellung des Manuskripts in vielen Diskussionen mit kritischen und konstruktiven Anregungen und Denkanstößen stets zur Seite stand und der in vielen spezifischen Fragen einen Rat wusste.

Diese Arbeit wäre ohne die von Univ.-Prof. Dr. Josef Zelger entwickelte Software GABEK®-WinRelan in dieser Form nicht möglich gewesen. Für die Nutzung der Campuslizenz danke ich der Abteilung für Deutsche Sprache und Kultur der Radboud Universität in Nijmegen, an der ich während eines Studienaufenthaltes das Instrument kennen und schätzen lernte.

Ebenfalls danke ich jenen Bürgermeisterinnen und Bürgermeister, Mitarbeiterinnen und Mitarbeiter dieser Bürgermeisterämter am Niederrhein, die mir die Zusammenstellung des Textkorpus möglich gemacht haben.

Auch meinen Freunden, Bekannten an der Universität und außerhalb sowie meiner Familie danke ich herzlichst für die entgegengebrachte Unterstützung jeglicher Art, die Geduld und Auseinandersetzung mit meiner Arbeit.

Und nicht zuletzt gebührt mein Dank den Herausgebern der Reihe „Perspektiven Germanistischer Linguistik", insbesondere Herrn Sascha Michel, für die Aufnahme dieses Buches und Frau Valerie Lange für ihre kontinuierliche Betreuung bei der Publikation.

Dem geneigten Leser wünsche ich eine angenehme Lektüre und würde mich freuen, wenn diese oder jene Erkenntnis auf eine vergleichbare Situation übertragen – ob aus Interesse, ob aufgrund von Kritik – eine Anregung für praxisbezogene Aktivitäten wäre.

Bonn, Oktober 2012   Edith Münch

Inhaltverzeichnis

I. Einführung und theoretische Fundierung

1. Einleitung

Traditionell ist die Beschäftigung mit Wissen die Kernaufgabe der Philosophie. In der jüngsten Zeit findet Wissen eine zunehmende Beachtung auch in anderen Disziplinen: Nicht nur Wirtschafts- und Unternehmenstheoretiker verweisen auf die große Bedeutung von Wissen als Managementressource und Machtfaktor, sondern auch eine große Anzahl von Forschern aus Kommunikations-, Sozial- oder Humanwissenschaften befasst sich mit Untersuchung und Steuerung von Wissen (vgl. NONAKA/TAKEUCHI 1997:8). Die Städte erfasst von diesen Erkenntnissen suchen angesichts der gegenwärtigen Modernisierungsprozesse nach neuen Wissensressourcen. Im Zentrum des Interesses steht das individuelle Wissen der Bürgermeister. „Knowledge will likely further increase in importance, but it is not yet clear how knowledge can be put to practical use (…)" (VAN RIJN/TISSEN 2010:187). Daher erfordert dieses Thema theoretisch, empirisch und pragmatisch immer wieder neuer Annäherungen, möchte man diese „brachliegende Ressource" für die zukünftigen urbanen Konzeptualisierungen nutzbar machen.

Die Relevanz raumbezogener Identitäten, die im Zeitalter der Globalisierung eine „Renaissance erleben", ergibt sich für diese Studie hingegen aus den funktionalen, normativen, emotionalen und territorialbezogenen Identifikationsprozessen von Individuen und Kollektiven. Unter Rückbesinnung auf regionale Besonderheiten, stark ausgeprägtes raumbezogenes Bewusstsein und Heimatgefühle ihrer Bewohner entwickeln sich beispielsweise Städte und Kommunen als eine Gegenströmung der weltweiten Vernetzung und Gleichförmigkeit zu einem wichtigen lokalen Orientierungs- und Handlungsrahmen des wirtschaftlichen, politischen und privaten Lebens. Dabei herrscht weitgehend eine Einigkeit über den abstrakten und dynamischen Konstruktionscharakter von raumbezogenen Identitäten und darüber, dass diese in sozialen kommunikativen Interaktionen entstehen. Neben Ursachen und Entwicklungsbedingungen des kognitivemotiven Raumbezugs rücken auch kausale Ursachenanalyse der gegenwärtigen Lage oder Entwicklungsperspektiven ins Forschungsinteresse.

In diesem wissenschaftlichen Rahmen wird die vorliegende Studie verortet. Nicht nur ihr interdisziplinärer Charakter, sondern auch ihr pragmatischer Nutzen machen sie zu einem fachübergreifenden Handbuch: Sie expliziert, wie aus individuellem Wissen praxisnah neues Wissen gewonnen, organisiert und für die Konzeptualisierung der zukünftigen, modernen Stadtidentität zielgerichtet angewendet werden kann.

1.1. Zielsetzung und methodisch-theoretische Vorüberlegungen

Das oberste Ziel dieser Studie ist es, das individuelle Wissen niederrheinischer Bürgermeister – das in deren Vorstellungen eine Auskunft über die Lage, das Selbstverständnis (Identität), das Image (Fremdbild) und die Zukunft der Städte gibt – zusammenzuführen und es den Entscheidern aus Politik, Verwaltung und dem Kreis der aktiven Bürger anderer Städte verfügbar zu machen, damit sie voneinander lernen können.

Das multimodale inhaltsanalytische Verfahren Gabek® mit der PC-gestützten Software WinRelan® bietet eine ausgezeichnete Möglichkeit, das in den Neujahrsansprachen enthaltene komplexe und ungeordnete Wissen darzustellen und zu systematisieren. Im ersten Schritt wird das individuelle Wissen zusammengeführt – mit *Wissen* sind Erfahrungen, Meinungen, Werte, Einstellungen, Bewertungen und Emotionen gemeint –, um im zweiten Schritt qua Gabek®-Analyseinstrumente daraus neues Wissen als begriffliche Wissensnetze zu ermitteln – etwa relevante Inhalte, Bewertungen, Assoziationsnetze oder Kausalannahmen. Diese bilden die Basis für die Rekonstruktion von der raumbezogenen Identität Stadt, die hier als kognitive Repräsentation der relevanten Begriffe zu verstehen ist, anhand derer sich die Situation der Kommunen und Gemeinden besser verstehen und analysieren lässt. Mit der Operationalisierung der Methode wird der Begriff 'raumbezogene Identität' durch die Summe aller wichtigsten Inhalte definiert. Im Hinblick auf die zukünftige Entwicklungen werden des Weiteren einige Konzepte für das praxisbezogene Handeln von Städten und

Kommunen formuliert, die in einem solchen Rahmen sowohl für Individuen als auch für Gemeinschaften geltend gemacht werden können.

Für ein besseres Verständnis bedarf es auf der theoretischen Ebene einer Klärung der dieser Arbeit zu Grunde liegenden Begriffe. Da angenommen wird, dass gemeinschaftliche Strukturen einer Stadt denen eines Unternehmens – wo Wissen nicht nur verarbeitet sondern auch erzeugt wird – gleichen und Bürgermeister als Wissensmanager eine Brücke zwischen der oft schwierigen Realität und den visionären Zielen der Gemeinschaft – also zwischen dem, „was ist" und dem, „was sein soll" – schlagen, wird der Wissensbegriff im Kontext des betriebs- und managementwissenschaftlichen Diskurses vorgestellt und erläutert. In diesem Teil wird gezeigt, dass im Zeitalter der Wissensgesellschaft Wissen, Fähigkeiten und Kompetenzen jedes Individuums für die Wettbewerbsfähigkeit der Unternehmen wie auch die der Städte von zentraler Bedeutung sind. Darauf aufbauend wird die wissensorientierte Zukunftsperspektive für Städte und Gemeinden hypothetisch skizziert. Des Weiteren wird der ZELGER'sche Wissensbegriff (ZELGER 2004) vorgestellt und auf die Gabek®-Analyse bezogen verdeutlicht. In diesem Zusammenhang fällt das besondere Augenmerk auf das Konzept „Knowledge Democracy", welches eine innovative Verwendung des „öffentlichen Wissens" konzeptualisiert.

Der Begriff ‚raumbezogene Identitäten' soll unter Rückgriff auf jene Identitätstheorien erörtert werden, die zum einen den soziokognitiven Charakter raumbezogener Identitäten behandeln, wobei der Schwerpunkt auf die individuelle und gemeinschaftliche Verortung in Raum und Zeit gelegt wird. In diesem Kontext soll Bezug auf den in der sozialpsychologischen Tradition entstandenen Ansatz von WEICHHART (1999a) genommen werden. Ansatzweise wird auch der aus der diskursanalytischen Tradition stammende Ansatz von WODAK ET AL. (1998) geschildert. Zum anderen sollen raumbezogene Identitäten in Hinblick auf ihre funktionalen, normativen und emotionalen Identifikationsprozesse diskutiert werden.

Da Emotionalität ein wichtiges, aber sehr umfassendes und heikles Thema in der Identitätsforschung ist, und da ihre detaillierte Analyse den Umfang dieser Arbeit bei weitem sprengen würde, werden im Rahmen der vorliegenden Untersuchung nur jene emotionalen Aspekte theoretisch erläutert und empirisch be-

legt, welche die Identitätsbildungsprozesse unterstützen oder beeinflussen. Auch
Metaphern wird im Kontext der sprachlichen Repräsentationen eine wirklichkeitskonstruierende Rolle zugeschrieben: Sie beeinflussen Handlungsabläufe,
regen Emotionen an, vermitteln Wissen, formen Realität, indem sie Komplexes
vereinfachen und Abstraktes veranschaulichen (vgl. HOINLE 1999:81). Insofern
lohnt es sich, exemplarisch diese Metaphorik in den Blick zu nehmen, die der
Konstruktion raumbezogener Identitäten eigen ist.

Als Umsetzungsbeispiel der theoretisch-methodischen Überlegungen dient
die hochaktuelle Frage nach jenen raumbezogenen Identitäten, die im Rahmen
einer zukunftsgerechten Entwicklung von Regionen zusammenfallen. Städten
und Gemeinden werden immer mehr Aufgaben auferlegt, die zu einer Überfor-
derung des gesamten politisch-wirtschaftlichen Systems führen. Die laufenden
Veränderungen innerhalb des gesellschaftlichen, wirtschaftlichen, politischen
und ökologischen Rahmens ziehen die Notwendigkeit einer Umorientierung in
Konzeptansätzen nach sich, denn nur „gesunde Städte und Gemeinden" können
die Zukunftsfähigkeit des gesamten Landes gewährleisten.[1] Daher gilt eine ef-
fektive und zielgerichtete Nutzung der Ressource Wissen – hier im Sinne des
individuellen Wissens der Bürgermeistern – als eine fundamentale Basis für die
Konstruktion der raumbezogenen Identität Stadt sowie eine alternative
Ideenschöpfung für eine Neuausrichtung oder Umorientierung der Denk- und
Handlungsprozesse, um das Selbstbild der Städte zu optimieren. Die Ergebnisse
der empirischen Analyse werden uns zeigen, in welcher Lage sich deutsche
Städte befinden, welche Konvergenzen und Divergenzen es in der Reaktion auf
die gegenwärtige Lage gibt und was im Sinne der Identifikationsbildungsprozes-
se unternommen werden kann, um diese Lage nachhaltig zu optimieren.

All diese Vorüberlegungen fließen zu einer Kernthese zusammen, die lautet:
Raumbezogene Identitäten im Sinne vom territorial gebundenen, individuellen
kognitiven, die Gegenwart und die Zukunft strategisch erfassenden Planungs-

---

[1]   Einen Einblick in diese Problematik bietet DStGB: Schwerpunkte. 10 Forderungen des
       DStGB Städtebau und Entwicklung. Unter: http://www.dstgb.homepage/artikel/schwer-
       punkte/staedtebau_und_stadtentwicklung/index.html. Letzter Zugriff am 14.07.2010.

wissen können ermittelt und dargestellt werden, indem diskursrelevante Schlüsselbegriffe (z.b. Werte), Wirklichkeitsannahmen (z.b. Bewertungen und Kausalannahmen), Emotionen (z.b. Zusammengehörigkeitsgefühl) sowie sprachliche Gestalten (d.h. Zusammenfassungen von Sinneinheiten) identifiziert und generiert werden. Da Wissen aus sozialen Interaktionen der Bürgermeister mit ihrem Umfeld hervorgeht, kann individuelles Wissen die gemeinschaftlichen Identifikationsprozesse auf der städtischen und regionalen Ebene injizieren oder stützen. Vor diesem Hintergrund lassen sich für diese Arbeit folgende Fragen formulieren:

- Was versteht man unter dem Begriff 'Wissen' und wie kann das individuelle Wissen der niederrheinischen Bürgermester für die Konstruktion der territorial gebundenen Identitäten Stadt genutzt werden?
- Was sind 'raumbezogene Identitäten' und wie lassen sie sich konstruieren?
- Welche Inhalte und Wertungen werden raumbezogenen Identitäten in Hinblick auf Vergangenheit, Gegenwart und Zukunft zugeschrieben? Wie ist die Lage der Städte und Gemeinden aktuell? Woraus resultiert sie? Was sind die Ziele für die Zukunft? Was soll unternommen werden, um diese Ziele zu erreichen?
- Welche Emotionen unterstützen die urbanen Identifikationsprozesse?
- Wie wird die Wirklichkeit mittels Metaphern konzeptualisiert?
- Können aus den Ergebnissen alternative zukunftsorientierte Handlungsperspektiven für Städte und Gemeinden abgeleitet werden?

Die vorliegende Arbeit gliedert sich in drei große Abschnitte, einen theoretischen, einen methodischen und einen analytischen. Den einleitenden Worten folgt im ersten Teil eine theoretische Fundierung, auf der die vorliegende Arbeit aufbaut. In diesem Rahmen wird der Begriff 'Wissen' erläutert und mit dem der 'raumbezogenen Identitäten' konzeptionell verknüpft. Eine Beschreibung des Textkorpus, welches der empirischen Untersuchung zugrunde liegt, sowie der Operationalisierung der Methode folgen im zweiten Abschnitt. Zur Durchführung dieser Untersuchung wurde das multimodale Verfahren Gabek® eingesetzt, dessen relevante Auswertungsschritte und Ergebnisse auch in diesem Teil be-

sprochen werden. Der dritte Teil, dessen Gegenstand die zusammenfassende Interpretation und Reflexion der theoretischen Fundierung und der Ergebnisse der
empirischen Analyse ist, schließt diese Arbeit ab.

2. Dimensionen des Wissensbegriffs

In der gegenwärtigen Debatte um Wissen ist eine starke Differenzierung von
Bedeutung und Sinninhalt des Wissensbegriffes sichtbar. Während sich Philosophie mit den Bedingungen von Wissen im Zusammenhang mit den menschlichen Erkenntnismöglichkeiten beschäftigt, behandelt Unternehmens- und Ma-
nagementtheorie Wissen als „einen für ökonomische Phänomene wichtigen Faktor" (NONAKA/TAKEUCHI, 1997:45).[2] Der Wechsel markiert eine klare Abwen-
dung vom rationalistischen Erkenntnismodell bis hin zu einem „konstruktivistischen und dynamischen Modell des Wissens", welches in Interaktionen entsteht
(vgl. RENZL 2003:16).

Der überwiegende Teil der wirtschaftlichen Aktivitäten beruht auf der Anwendung und Generierung von Wissen. Der ressourcenorientiere Ansatz[3] be-
schreibt beispielsweise Wissen als „immaterielles Vermögen", das neben anderen
Ressourcen wie Kapital, Arbeit und Grundbesitz eine wichtige Quelle beim Er-
wirtschaften von Wettbewerbsvorteilen darstellt. DRUCKER (1993) sieht sogar
im Wissen „die einzige wichtige Ressource" (vgl. NONAKA/TAKEUCHI
1997:17). Nach NORTH (vgl. 2011:45f.) liegen dieser wertvollen und unver-
zichtbaren Ressource folgende besondere Eigenschaften zu Grunde:

- Wissen ist personengebunden.

---

[2]   PENROSE (1959:77) schreibt dazu: „Wirtschaftswissenschaftler haben natürlich immer
       neue dominante Rolle der Wissensvermehrung für den ökonomischen Prozess erkannt.
       Meistens mussten sie jedoch feststellen, dass sie sich beim Thema Wissen auf ziemlich
       unsicheren Boden bewegen."

[3]   Der in den 80-gern formulierte Ansatz baut auf der Arbeit von PENROSE (1959) auf
       und betrachtet Unternehmen als ein Bündel von Ressourcen. Ressource wird definiert
       als „anything which could be thought of as strength or weakness of a given firm" (vgl.
       WERNERFELT 1984:172).

- Wissen wächst durch den Gebrauch.
- Wissen gewinnt an Wert, wenn es genutzt wird.
- Wissen nutzt sich durch Verwendung nicht ab.
- Wissen ist dynamisch, d.h. es verändert sich laufend.
- Wissen ist schwierig zu messen.

Im Gegensatz zu traditionellem, eher statischem Wissen findet die neue Wissensproduktion in sozialen, interaktiven Kommunikationsprozessen[4] statt, an denen Individuen beteiligt sind. Laut NONAKA und TAKEUCHI (1997:24) sei die Wissensproduktion nicht „ohne Einzelinitiative und Interaktion innerhalb einer Gruppe" möglich. Besondere Bedeutung fällt dabei dem Individuum zu. Auch das Zusammenwirken von anderen Kommunikationsteilnehmern ist dabei wichtig, denn erst auf der Gruppenebene kann sich Wissen durch Dialog, Diskussion, Erfahrungsaustausch und Beobachtungen herauskristallisieren, verstärken und/oder weiterentwickeln (vgl. ebd.:24). In der Mitwirkung vieler Individuen und geführt vom Wissensmanagement können beispielsweise neue Wissensarten generiert werden, die heterogen und netzwerkartig sind. Somit wird Wissen „nicht als objektiv gegebener Inputfaktor verstanden", sondern seine Konstruktion vollzieht sich dynamisch in sozialen Interaktionen (vgl. RENZL 2003:2). Auch NORTH (2011:44f.) betont die private und erfahrungsabhängige Eigenschaft von Wissen, das in jedem von uns ist einerseits, und weist auf seine dynamische wie auch situationsspezifische „Natur" hin andererseits.

In Unternehmen entsteht Wissen dadurch, dass Wissensmanager situationsabhängig nach neuen Erkenntnissen sowie neuen kreativen und innovativen Lösungen suchen. Hierzu bedienen sie sich gezielt theoretischer und methodischer Ansätze und kombiniert mit innovativen Technologien versuchen sie das umfangreiche individuelle Wissen der Mitarbeiter zu externalisieren. Mitarbeiterwissen aus unterschiedlichen Tätigkeits- und Erfahrungsbereichen wird zusammengespeist, um Geschäftsfelder, Produkte und Prozesse effizienter zu gestal-

---

[4] Richtig verstandene und eingesetzte Kommunikation ist eine Voraussetzung für erfolgreiche Wissensvermittlung und Identifikationsprozesse von Städten und Gemeinden (vgl. EBERT ET AL. 2008).

ten. Wissensgenerierende Interaktionen zwischen den Mitarbeitern und der Lei-
tung erfordern daher vom Wissensmanagement einer besonderen Aufmerksamkeit. Wissensmanager sehen sich nun vor die Herausforderung gestellt, auf dieser Grundlage neue Wissenstransferprozesse zu fördern, um daraus neues Wissen zu entwickeln, das letztendlich dem Unternehmen eine optimale Positionierung am Markt sichert.

Dass Wissen heutzutage eine dominierende Stellung nimmt, erkennt DRU-
CKER (1993:11), indem er formuliert: „Künftig wird der Schwerpunkt der Ma-
nagementtätigkeiten darin liegen, Wissensressourcen fruchtbar zu machen." In
einer Studie des Frauenhofer-Instituts für Arbeitswirtschaft und Organisation
über die Relevanz von Wissensmanagement in deutschen Unternehmen wird
dieser Trend nachgewiesen. Laut BULLINGER (1999:83f.) beträgt der Anteil der
Ressource Wissen – im Sinne des überführten Mitarbeiterwissens – an den Pro-
duktionsprozessen bereits über 50 Prozent. Nach der Einschätzung der 250 be-
fragten Unternehmen könne durch eine effizientere Anwendung von implizitem,
internem und externem Wissen die Produktivität der Firmen um ein Drittel stei-
gen. In diesem Zusammenhang gaben die Unternehmen an, dass sie nur weniger
als die Hälfte des zur Verfügung stehenden Wissens nutzen (vgl. ebd.). Auch eine weitere Studie zum Wissensmanagement der Nordakademie und Von Studnitz Management Consultants bestätigt die Bedeutung des Wissensmanagements. 97,2 Prozent der Beteiligten stufen Wissen als sehr wichtig ein. Somit
zählt Wissen zu der „wichtigsten Ressource" in deutschen Unternehmen.[5]

Um das dieser Arbeit zugrunde liegende Verständnis des Wissensbegriffs zu
verdeutlichen, werden nachstehend verschiedene Klassifikationsansätze des
Terminus 'Wissen' präsentiert und kontextbezogen erläutert. Hier ist den Fragen
nachzugehen: Wie relevant ist Wissen für die Bildung von raumbezogenen Identitäten? Und durch welche Wissensparameter können Identitätsbildungsprozesse
unterstützt werden?

---

[5]   Diese Studie, die 2008 durgeführt wurde, bestätigt, dass der Trend auch gegenwärtig
      stattfindet (vgl. Die Nordakademie und die Von Studnitz Management Consultants:
      Studie Wissensmanagement. Wissenstransfer und Arbeitsmarktwandel. Executive
      Summary. Unter: www.norakademie.de. Letzter Zugriff am 30.07.2010.

2.1. Klassifikationsansätze zum Wissensbegriff

In der Literatur sind zahlreiche Sichtweisen und Klassifikationsversuche des Wissensbegriffs zu finden. Deswegen erscheint es mir als wichtig, die verwendeten Wissensfacetten im Vorfeld der Untersuchung zu präsentieren, insofern sie für die empirische Analyse von Bedeutung sind.

2.1.1. Kognitive und strukturalistische Sichtweise

Bei der Auseinandersetzung mit 'Wissen' nennt SCHOBER (vgl. 2008:127) zwei Sichtweisen:

- Die kognitive[6] Perspektive, die Wissen als eine beschreibbare Summe von Informationen definiert. Die zentrale Aufgabe des kognitiven Prozesses ist es, die Welt durch eine genaue Präsentation von Objekten und Prozessen darzustellen. Kognitives Wissen ist rein explizites Wissen, das gespeichert, kodiert und problemlos ausgetauscht werden kann. Der kognitive Ansatz ist eine Basis für klassische und neoklassische Organisationstrukturen.

- Die konstruktivistische[7] Perspektive nimmt an, dass die Kognition nicht die konkrete vorliegende Wirklichkeit präsentiert. Eine Begründung sehen die Kognitivisten darin, dass der Mensch fähig ist, kognitive Systeme zu konstruieren, „mit denen er die Erfahrungen mit Objekten in seiner Umwelt interpretiert". Zudem hat das kognitive System keinen direkten Zugang zur äußeren Welt. So kann die Realität nicht abgebildet, sondern nur als Konstruktionen dieser Realität erzeugt werden. Der „kreative Prozess der Kognition" wird dadurch in den Vordergrund gestellt, wobei die Individuen die Welt aus Elementen zusammensetzen.

In dieser Arbeit sind beide Ansätze vertreten. Im Kontext der wissensbasierten Entstehung von raumbezogenen Identitäten ist die kognitive Dimension von besonderer Relevanz, insofern sie auf die Prozesse der Identitätsbildung einwirkt.

---

[6] Von lat. *cognoscere* – 'erkennen, erfahren, wissen'.

[7] Von lat. *construere* – 'zusammenfügen'.

Die kognitive Dimension impliziten Wissens wirkt wiederum wie ein Rahmen, innerhalb dessen raumbezogene Identitäten konstruiert werden. Dadurch wird der fließende Übergang zu der konstruktivistischen Annahme über die konstruktionsartige Präsentation der Welt deutlich.

2.1.2. Explizites und implizites Wissen

Wissen zeichnet sich nach POLANYI (1985:4) dadurch aus, dass „wir oft mehr wissen, als wir imstande sind zu sagen." Diese Unterscheidung deutet darauf hin, dass es neben der im Vordergrund stehenden expliziten Wissensdimension noch eine persönliche, im Verborgenen liegende implizite Größe gibt. Diese beiden Wissensdimensionen stellen den Kernpunkt des Modells von Wissen dar, welches das folgende Schaubild visualisiert. Die dichotome Teilung zeigt die wichtigsten Merkmale und den engen Bezug der beiden Wissensdimensionen zueinander zum einen und ihren mehr oder weniger gleichen Anteil am vorhandenen Wissen zum anderen.

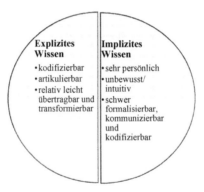

Abbildung 1:   Explizite und implizite Wissensdimension (eigene Darstellung in Anlehnung an NONAKA/TAKEUCHI (vgl. 1997:72-73) und SCHOBER (vgl. 2008:129)).

Explizites Wissen[8] definiere ich mit POLANYI (1985:16) als Wissen, das entweder formalisiert vorliegt, oder jede Zeit kodiert werden kann und deshalb mittels Zeichen (Sprache, Schrift) kommunizierbar ist[9]. Es ist reproduzierbares Wissen, das sich von Individuum auf Individuum problemlos übertragen lässt und mit der modernen Informations- und Kommunikationstechnologie beliebig kumuliert und transformiert werden kann. Explizites Wissen ist das Wissen, das „(...) außerhalb der Köpfe einzelner Personen in Medien gespeichert [ist] (disembodied knowlegde)" (vgl. NORTH 2011: 47).

Implizites Wissen[10] hingegen ist nach POLANYI (1985:17) das Wissen, „das sich nicht in Worte fassen lässt". Es ist individuelles kontextspezifisches Wissen, welches auf Gedanken, Werten, Idealen und Erfahrungen jedes Einzelnen beruht. „Subjektive Einsichten und Intuition verkörpern implizites Wissen, das tief in den Handlungen und Erfahrungen des einzelnen verankert ist" (NORTH 2011:47). Es ist eine Form des Wissens, die „in den Köpfen einzelner Personen gespeichert ist (embodied knowledge)" (vgl. ebd.) und daher nur schwer kommunizierbar ist, d.h. nur schwer formulierbar und vermittelbar. Der Kategorie „tacit knowledge' wird gegenwärtig eine herausragende Bedeutung zugeschrieben: Zum einen bei der Bewältigung von typischen fortlaufenden Alltagsproblemen (vgl. POLANYI 1985:14), und zum anderen bei der Generierung vom neuen Wissen (vgl. SCHANZ 2006:8).

2.1.3. Individuelles und kollektives Wissen

Die Differenzierung zwischen individuellem und kollektivem Wissen gewinnt im Wissensmanagement und in der unternehmerischen Praxis immer mehr an Interesse. Nach NONAKA und TAKEUCHI (vgl. 1997:71) wird Wissen prinzipiell ausschließlich von Individuen geschaffen. Individuelles Wissen entsteht im Bewusstsein jeder Einzelpersönlichkeit durch Interpretieren, Bewerten und Einord-

---

8   Von engl. explicit knowledge – so viel wie ausdrückliches, ausführliches Wissen.

9   Vgl. http://de.wikipedia.org/wiki/Explizites_Wissen. Letzter Zugriff am 10.09.2011.

10   Von engl. tacit knowlegde – so viel wie 'stilles, schweigsames, mit Worten schwer ausdrückbares Wissen'.

nen von neuen Informationen sowie ihre Verknüpfung mit dem bereits vorhandenen Vorwissen. Die individuelle Wissensbasis ist personenspezifisch und hängt mit anderen Arealen der menschlichen Psyche zusammen. Ihre Größe entscheidet über die Konstituierung von neuen Wissensnetzen und Problemlösungskapazitäten. Kollektives Wissen bedeutet hingegen Wissen, das durch eine Gruppe von Individuen in kooperativen Kommunikationsprozessen generiert wird. Durch das Zusammenspiel der Gruppe vermehrt sich nicht nur die Wissensbasis eines Individuums oder eines Kollektivs, sondern es wird auch unbewusst der Austausch von implizitem Wissen gefördert. Die Überführung individuellen Wissens in kollektives Wissen ist laut NORTH (vgl. 2011:49) für den Erfolg einer wissensorientierten Unternehmensführung entscheidend.

2.1.4. Internes und externes Wissen

Die nächste Dimension von Wissen besteht in der Unterscheidung dessen Beschaffungsstandorts: Wird Wissen innerhalb einer Organisation geschaffen, spricht man von internem Wissen. Wird Wissen dagegen außerhalb der Grenzen einer Organisation erzeugt, hat man mit externem Wissen zu tun. Externes Wissen kann in eine Organisation transferiert werden mit dem Ziel, z.B. ein Fremdbild (Image) zu referieren, wobei diese von der Nutzung externen Wissens Profite erzielen kann.

2.2. Wissen in betriebswirtschaftlichen Theorien

Die meisten ökonomischen Ansätze sind sich einig, dass Wissen ein bedeutendes Kapital ist, mit dessen Hilfe sich höhere Gewinne erzielen lassen. Sie unterscheiden sich jedoch darin, „wie sehr das Wissen akzentuiert wird, welcher Typ von Wissen Beachtung findet und wie das Wissen erworben und angewendet wird" (vgl. NONAKA&TAKEUCHI 1997:45). In diesem Abschnitt sollen diese Wissenstheorien präsentiert werden, die im Rahmen raumbezogener Identitätsbildung die Anwendung von Wissen verständlich machen.

Als einer der ersten erkannte MARSHALL (1965) die große Bedeutung von Wissen für die Wirtschaft (vgl. NONAKA&TAKEUCHI 1997:46): Er definiert Wissen als „unseren stärksten Produktionsmotor", wobei er die Bedeutung einer

Organisation für das Wissen hervorhebt (vgl. NONAKA/TAKEUCHI zitiert nach MARSHALL 1965:115). Diese Wissensdefinition, die in die neoklassische Tradition fällt, befasst sich mit „festem" ökonomischem Wissen und ist auf die Gewinnmaximierung ausgerichtet. Damit wird implizites und explizites Wissen, das heutzutage ein riesiges Potenzial darstellt, außer Acht gelassen. VON HAYEK (1945) sieht dagegen Wissen „als etwas Subjektives, das nicht als etwas Festes behandelt werden kann" (vgl. NONAKA&TAKEUCHI 1997:46). Somit lenkt HAYEK als einer der ersten Autoren die Aufmerksamkeit auf implizites, kontextabhängiges Wissen (vgl. ebd., zitiert nach HAYEK 1945:519f.):

> Die besondere Problematik einer rationalen ökonomischen Ordnung wird eben von der Tatsache bestimmt, dass das Wissen um die Umstände, dessen wir uns bedienen, nie in konzentrierter oder integrierter Form existiert, sondern nur als verstreute Bruchstücke eines unvollkommenen und oft widersprüchlichen Wissens, das die einzelnen getrennt besitzen."

Dabei wird deutlich, dass das kontextspezifische Wissen auf dem bruchstückartigen Wissen jedes Individuums beruht, das in gesellschaftlichen Interaktionsprozeesen mobilisiert und erst durch die Addition aller Einzelwissen zu einem komplexen Gesamtwissen wird, das fortwährend weiter entwickelt wird.

Mit der konzipierten Wissenstreppe will NORTH (2011:35) „keine philosophische Diskussion über Wissen und Erkenntnis führen", sondern er setzt sich zum Ziel, grundlegende Begriffe zu explizieren, die für „die unternehmerischen Aufgaben des Wissensaufbaus und des Wissenstransfers von Bedeutung sind": In diesem stufenförmigen Modell sieht SCHOBER (vgl. 2008:125) die Möglichkeit den hierarchischen Aufbau von Wissen wiederzugeben, wobei diese nur „eine starke Verkürzung der einzelnen Begriffe zu Folge hat". Übertragen auf die Realität der Städte, auf die Gewinnung und Vermittlung von Wissen wird deutlich, dass sich Informationen, Wissen; Können, Handeln und Kompetenz in der Praxis stark überlappen, sodass eine strikte Trennung der Übergange von einer zur nächsten Stufe als solche nicht nachvollzogen werden kann. Daher ist es wichtig diesen Konstrukt des Wissens als Ganzes zu betrachten. Trotz alledem präsentiert die Wissenstreppe einen ersten Überblick über die Vielschichtigkeit des Wissensbegriffs.

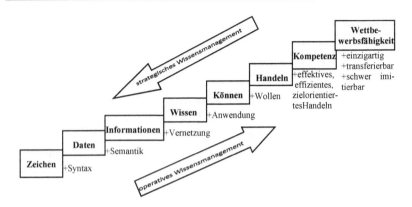

Abbildung 2:   **Wissenstreppe (eigene Darstellung in Anlehnung an NORTH (vgl. 2011:36) und SCHOBER (vgl. 2008:125)).**

Nach dieser Abbildung bilden Zeichen die unterste Ebene der Wissenstreppe. Es können Buchstaben, Ziffern oder Sonderzeichen sein, die mit Hilfe von Syntaxregeln zu Daten – die nächstfolgende Ebene – verbunden werden. Diese sind nur in einem gewissen Kontext interpretierbar, in welchem sie zu Informationen werden. „Informationen sind sozusagen der Rohstoff, aus dem Wissen generiert wird und die Form, in der Wissen kommuniziert und gespeichert wird" (vgl. NORTH 2011:37). Als Wissen bezeichnet NORTH (vgl. ebd.) die „zweckdienliche Vernetzung" von Informationen im Bewusstsein jedes Einzelnen. Wissen ist somit ein kognitiver Prozess, der kontextabhängig und individuell geprägt ist. Den Begriff des Könnens, welcher handlungsbezogenes, pragmatisches (Wie–)Wissen umfasst, verwendet er in Abgrenzung zu rationalem (Was–)Wissen. Wird das Was-Wissen in Wie-Wissen umgewandelt, so spricht man von „Handeln". Zielorientiertes, effektives und effizientes Handeln bezeichnet NORTH wiederum als „Kompetenzen"[11], deren Einzigartigkeit für die Wettbewerbsfähigkeit eines Unternehmens vom besonderen Interesse ist.

---

[11]   Ist diese Kompetenz einzigartig, innerhalb des eigenen Unternehmens auf unterschiedliche Produkte und Märkte transformierbar und schwer von anderen imitierbar, so kann man von „Kernkompetenzen" sprechen (vgl. NORTH 2011:42).

Mit der Wissenstreppe[12] ist in der Betriebswirtshaft eine weitverbreitete funk-
tionale Wissensdefinition verbunden, in der „Wissen als Werkzeug" verstanden
wird, „mit dem Ergebnisse erzielt werden können" (vgl. NORTH 1999:43). Eine
hierzu konsistente Wissensdefinition findet SCHOBER bei PROBST ET AL. (SCHO-
BER 2008:126, zitiert nach PROBST ET AL. 1997:44):

> „Wissen bezeichnet die Gesamtheit der Kenntnisse und Fähigkeiten, die Individuen zur
> Lösung von Problemen einsetzen. Dies umfasst sowohl theoretische als auch praktische
> Alltagsregeln und Handlungsanweisungen. Wissen stützt sich auf Daten und Informati-
> onen, ist im Gegensatz zu diesem jedoch immer an Personen gebunden. Es wird von In-
> dividuen konstruiert und repräsentiert deren Erwartungen über Ursache-Wirkungs-
> Zusammenhänge in einem bestimmten Kontext".

Wissensfragen rücken immer mehr ins Zentrum der wissensbasierten Unternehmensführung. Die inzwischen zahlreich erschienene Literatur zum Wissensmanagement präsentiert eine breite Palette an definitorischen Klassifikationen und
methodischen Vorgehensweisen, die zu einer Erweiterung des Bedeutungsrah-
mens des Wissensbegriffs beitragen. Das nächste Kapitel soll daher die Wis-
sensansätze aus Wissensmanagementtheorien präsentieren, die für die Bildung
von raumbezogenen Identitäten bedeutsam sind.

2.3. Wissen in Theorien des Wissensmanagements

Zu den wichtigsten Aufgaben des Wissensmanagements gehören nach NORTH
(vgl. 2011:3f.): Wissensbeschaffung, Wissensentwicklung, Wissenstransfer,
Wissensaneignung und Wissensweiterentwicklung. Wissensmanagement[13] beschäftigt sich folglich mit Identifikation, Generierung, Erfassung, Speicherung,

---

[12] Jede einzelne Stufe der Wissenstreppe ist für den wissensbasierten Erfolg eines Unter-
      nehmenswichtig. Wird eine Stufe vernachlässigt oder ausgellassen, kann damit der Er-
      folg ausbleiben (vgl. NORTH 1999:43).

[13] Wissensmanagement wird formuliert als „ein zusammenfassender Begriff für alle opera-
      tiven Tätigkeiten und Managementaufgaben, die auf den bestmöglichen Umgang mit
      Wissen abzielen". Vgl. Wissensmanagement. Unter: http//de.wikipedia.org/wiki/ Wis-
      sensmanagement. Letzter Zugriff am 01.08.2010.

Verwaltung sowie Bereitstellung einer Wissensbasis,[14] die permanent evaluiert.
Unter der „evaluierendem Wissensbasis" – dankt man an die Wissenstreppe –
werden alle Zeichen, Daten, Informationen, alles Wissen, praktisches Können
und Handeln sowie alle Kompetenzen verstanden, die einem Unternehmen zur
Bewältigung seiner Aufgaben immer zur Verfügung stehen und je nach „Ort und
Zeit" transferiert und weiterentwickelt werden können. Nach PROBST ET AL. (vgl.
1997:46) kann es sich dabei sowohl um individuelle, als auch um kollektive
Wissensbestände handeln. Das intellektuelle Kapital als Teil der immateriellen
Vermögenswerte eines Unternehmens umfasst das im Unternehmen vorhandene
interne Wissen in Form des individuellen Mitarbeiterwissens, und das externe
Wissen der Kunden wie auch anderer Wissensträger (vgl. NORTH 2011:56). Per-
sonengebundenes Wissen und Fähigkeiten (Humankapital) sowie der dazu gehö-
rende Wissenskontext zählen als fester Bestandteil der ermittelten Wissensbasis.

Der nächste Abschnitt wirft daher einen Blick in die Praxis des Wissensmanagements und präsentiert anhand eines Modells, wie Wissen im Unternehmen
generiert werden kann.

2.3.1. Wissensspirale nach Nonaka und Takeuchi

Die ins Zentrum des Interesses vom Wissensmanagement rückende Wissensspirale von NONAKA und TAKEUCHI (1997:84) erklärt, wie Wissen innerhalb eines
Unternehmens erzeugt werden kann. Das Unternehmenswissen umfasst demnach nicht nur das in sozialen interaktiven Kommunikationsprozessen unter den
Mitarbeitern verbreitete explizite Wissen. Sein integraler Bestandteil ist ein ho-
her Anteil an subjektiven Elementen des Individuums, wie etwa seine Einstellungen, Mutmaßungen, Wertungen oder auch Emotionen (ebd.:96). Somit wird
die Bedeutung auf die implizite Wissensdimension verschoben, die mittels bestimmter Formen der Wissensschaffung zu explizitem Wissen umgewandelt

---

[14]   Ansätze zum Wissensmanagementtheoretischer wie methodischer und praktischer Art -
       werden gegenwärtig neben Betriebswirtschaft auch in vielen anderen Disziplinen, wie
       Informatik, Informationswissenschaft, Sozialwissenschaft, Pädagogik und Wirt-
       schaftsinformatik, entwickelt, was die innovative Anwendungsmöglichkeiten von Wis-
       sen auf anderen Gebieten markiert.

werden kann. So entstandenes Neuwissen basiert auf der Wechselwirkung zwischen implizitem und explizitem Wissen sowie der Transformation von individuellem zu organisationalem Wissen (vgl. SCHOBER 2008:131).

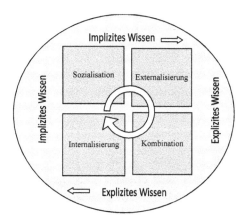

Abbildung 2: Wissensspirale (eigene Darstellung in Anlehnung an NONA-KA/TAKEUCHI (vgl. 1997:84) und SCHOBER (vgl. 2008:132)).

Nach NONAKA und TAKEUCHI (vgl. 1997:74ff.) lassen sich anhand der Wissensspirale vier Formen der Wissensumwandlung beschreiben:

- Bei der Sozialisation (von implizit zu implizit) wird implizites Wissen zwischen den Individuen während eines interaktiven Erfahrungsaustausches weitergegeben. In dieser Phase kommt es nur zu einer geringen Wissenserzeugung, weil die Zusammenhänge oft nicht genug erklärt werden können. Wichtig ist dabei der Moment des „Interaktionsfeldes", das die Weitergabe von implizitem Wissen in Form von praktischen Erfahrungen ermöglicht.

- Externalisierung (von implizit zu explizit) ist „ein essentieller Prozess" der Umwandlung von implizitem ins explizites Wissen. Dialog fördert den Transport von implizitem Wissen und somit eine verstärkte Konzeptbildung, wodurch die Externalisierung den Schlüssel zur Wissensbildung darstellt. Eine besondere Rolle fällt in dieser Phase Metaphern zu, dank derer implizites Wissen effektiv in explizites Wissen transformiert wird.

- Im Prozess der Kombination (von explizit zu explizit) wird explizites Wissen aus unterschiedlichen Quellen zusammengestellt, und durch Sortieren, Systematisieren, Kombinieren oder Klassifizieren wird ein neues Wissen erzeugt. Kommt externes Wissen hinzu, so findet eine „Wissensvermehrung" statt (vgl. SCHOBER 2008: 132).

- Internalisierung (von explizit zu implizit) bedeutet eine Umwandlung expliziten Wissens in implizites Wissen. Dabei wird das explizite Wissen dazu genutzt, um das eigene Wissen zu vertiefen und neu zu strukturieren. Dies ist nahe verwandt mit „learning by doing".

Das Spiralenmodell geht davon aus, dass sich der Wissensumwandlungsprozess mehrfach wiederholt. Ein nach diesem Modell funktionierendes Unternehmen wird als „lebendiger Organismus" bezeichnet, da sein Wissen kontinuierlich transformiert wird (vgl. RENZL 2003:83). Das Individuum und seine Fähigkeit, Wissen zu erzeugen, bilden dabei den Ausgangpunkt: Es hat eine gewisse Auffassung vom Unternehmen, kennt seine Funktionsregeln, hat eine konkrete Vorstellung von der zukünftigen Entwicklung und wirkt dabei aktiv mit. Es ist, das das Unternehmen prägt und somit die Wirklichkeit konstruiert.

Auf die Realität der Kommunen und Gemeinden übertragen liefert dieses Modell ein mögliches Konzept für die Transformierung und Gewinnung von Neuwissen, das jede Stadt für die Konzeptualisierung des Selbstbildes dringend braucht. Aktive Stadtbewohner entpuppen sich als wissensschaffende Individuen und Bürgermeister selbst als Wissensverwalter. An diese Überlegungen schließt der praktische Teil der Studie an und zeigt, wie individuelles Wissen entschlüsselt werden kann, um es im Kontext der Identitätsbildungsprozessen von Städten und Gemeinden als eine geeignete Wissensbasis einzusetzen. Die PC-unterstützte Textanalyse bietet eine gute Handhabung, das umfassende Wissen der Bürgermeister neu zu organisieren und hinsichtlich der vorab festgelegten Fragestellungen zu betrachten. Bevor aber grundlegende Aspekte dieses Verfahrens dargestellt werden, sollte zum einen die Wissensdefinition nach ZELGER erläutert werden, die diesem Verfahren zugrunde liegt. Zum anderen wird ein

Konzept über die öffentliche Wissensgenerierung vorgestellt, der für diese Arbeit wegweisend war.

2.4. Wissensbegriff bei Zelger

Befasst man sich intensiv mit dem ZELGER'schen Wissensbegriff, so wird man feststellen, dass Wissen bei ZELGER (2002) nicht das im philosophischen Sinne erkannte richtige oder falsche Wissen ist, sondern sein Wissensbegriff viel weiter gefasst ist: Unter 'Wissen' versteht ZELGER (vgl. ebd.:1) Meinungen, Erfahrungen, Einstellungen, Werte, sogar emotionale Elemente sind seiner Ansicht nach ein Teil des Wissens, die zusammengespeist eine breit gefasste Basis des Erfahrungswissens im Unternehmen bilden. Dabei sind Individuen „Wissensexperten", die sich in kommunikativen und sozialen Interaktionen an der Erzeugung, Weiterverarbeitung und -entwicklung von Wissen aktiv beteiligen. Insofern basiert Wissen auf den aus diesen Korrelationen hervorgegangenen „bewährten Beziehungen zwischen Begriffen, Aussagen oder zwischen komplexeren Wissenselementen." Die umfassende Wissensbasis besteht folglich aus „Beziehungen zwischen abstrakten Konzepten", für deren Wiedergabe sich linguistische Netze hervorragend eignen. Ihre Funktionsweise wird im Teil „Operationalisierung" näher erläutert.

2.5. Konzept der „Knowledge Democracy"

Im Rahmen des Konzepts „Knowledge Democracy" formulieren VAN RIJN und TISSEN (2010) im Aufsatz „The public knowledge challenge" die These: "The management of cities and businesses converge toward creativity, innovation and prosperity" (ebd.:187). Beide Autoren weisen in diesem Beitrag auf das bestehende Potential öffentlichen Wissens hin: Die kreative und innovative Kraft für die Bildung von raumbezogenen Identitäten liegt im Wissen der Angestellten und der aktiven Bürger, der so genannten „Wissensarbeiter". Vor diesem Hintergrund stellt sowohl das explizite als auch das implizite Wissen der Öffentlichkeit immer noch eine ungenutzte Ressource dar. Ihre zielorientierte Nutzung könnte jedoch in der wissensbasierten Wirtschaft für die Entwicklung von Kommunen, die sich in der globalen Welt neu positionieren und behaupten müssen, einen zukunftsweisenden Beitrag leisten. Auf der Basis von Erfahrungen und den bewährten Strategien aus dem Wissensmanagement und der Unternehmenslehre konvergiert mit denen der Verwaltung könnten neue Wissensbestände aktiviert werden. Durch kooperative Lernprozesse und transdisziplinäre Zusammenarbeit wäre es möglich, das demokratische öffentliche, größtenteils immer noch verborgene Wissen zu externalisieren und zielgerichtet anzuwenden.

Zieht man die gegenwärtigen Wettbewerbsbedingungen hinzu, so finden beide Autoren deutliche Konvergenzen zwischen Unternehmen und Städten sowie Regionen (vgl. ebd.:195):

- Wissen und Kreativität als entscheidende Wettbewerbsparameter,
- Wissensanwendung in unterschiedlichen Situationen,
- der Ortsbezug, sowohl materiell als auch immateriell,
- die fortdauernde und nachhaltige Ausrichtung der Ziele.

Die Parallelen zwischen Städten und Unternehmen ergeben sich durch die ökonomisch, politisch und ökologisch festgelegten Ziele: Städte wie Unternehmen versuchen, sich im Rahmen des globalen Wettbewerbs auf der regionalen oder überregionalen Ebene zu etablieren, um sich dadurch mehr Vorteile zu sichern. Differenziert man diese Parallelen, so macht sich in städtischen und kommunalen Identifikationsprozessen eine neue Alternativentwicklung sichtbar: „A less ideological and more practical way" von Wissen soll angestrebt werden (VAN RIJN&TISSEN 2010:190). Insofern betonen beide Autoren: „The need to expand the knowledge base and involvement and cooperation of both public and private stakeholders in joint exercises" (ebd.:198), denn die wirtschaftliche, ökonomische und gesellschaftliche Entwicklungen markieren das Ende der traditionellen Rollenverteilung: An der Entwicklung von Kommunen müssen heute mehr kreative und „aktive Bürger" mitwirken. Daher erscheint das Konzept „Knowledge Democracy" für die Weiterentwicklung von Städten auch im Rahmen dieser Studie zukunftsweisend.

Zusammenfassend kann in Hinblick auf die angestrebte inhaltsanalytische Untersuchung festgehalten werden, dass diese vorgestellten Wissensdefinitionen auf folgende Merkmale des Wissensbegriffs hinweisen:

- Soziale Interaktion: Wissen wird in Interaktion zwischen den beteiligten Individuen konstruiert.
- Explizite und implizite Wissensdimension.
- Subjektivität: schwer erklärbare individuelle und emotionale Elemente prägen das Wissen.
- Handlungsorientierung: Wissen wird bei der Lösung von Problemen angewendet und bezieht sich auf das Handeln von Personen.

Soziale Interaktionsprozesse, die für die Wissensgenerierung grundlegend sind, zeigen, dass Wissen sowohl an Individuen als auch an Gruppen gebunden ist. Alle Subjekte beteiligen sich anteilsmäßig unterschiedlich an der Entstehung von implizitem und explizitem Wissen, wobei dieses individuell beeinflusst ist. Das vierte Merkmal der Handlungsorientierung deutet darauf hin, dass Wissen auf konkretes Tun bezogen und somit kontextabhängig ist. Zieht man auch den Ansatz „Knowledge Democracy" hinzu, so gewinnt man einen runden pragmatischen Rahmen, innerhalb dessen all oben vorgestellte Wissensdimensionen vereinigt werden mit dem Ziel, das Wissen der Öffentlichkeit optimal für die Entwicklung von Städten und Gemeinden zu nutzen.

Basierend auf diesen Erkenntnissen gilt es im Rahmen der empirischen Untersuchung, das individuelle, mehrdimensionale Wissen der Bürgermeister zusammenzuführen, damit es für die Konstruktion der städtischen Identität und für Konzeptentwicklung des modernen Stadtbildes genutzt werden kann.

3. Konstruktion raumbezogener Identitäten

Raumbezogene Identitäten haben eine lange Forschungstradition, die angesichts der fortschreitenden Globalisierung und moderner Kulturströmungen eine „Inflation" erfahren hat. Eine interdisziplinär allgemein anerkannte Definition 'raumbezogener Identitäten' zu liefern, ist schlichtweg unmöglich. Eine Fülle theoretischer und methodischer Ansätze sowie empirischer Erkenntnisse verweist auf die „Nicht-Definierbarkeit" dieses Begriffes (vgl. MARXHAUSEN 2010:41). Man spricht von einem sich ständig verformenden „Plastikwort" (WEIGL 2005:1), von einem „vielschichtigen Phänomen, dessen Facetten (…)

mit unterschiedlichsten Begriffen bezeichnet werden" (vgl. WEICHHART 1999a:1). BORMANN (vgl. 2001:234f.) sieht die Besonderheit raumbezogener Identitäten in der Verknüpfung von zeitlichen und räumlichen Komponenten, die eine „Hauptrolle (...) im kulturellen Prozess der sozialen Konstruktion von Wirklichkeit" spielen. So hat der Begriff mit der Zeit „tiefgreifende, ambivalente Wandlungen" erfahren (vgl. MÜTTER&UFFELMANN 1996:11), dessen Evaluierung durch die gegenwärtigen Entwicklungen sowie die Verlagerung des Forschungsinteresses zu erklären ist. Seit den 80-er Jahren beobachtet man zunehmend „eine markante Renaissance kleinräumiger territorialer Bindungen", die ausgelöst durch das bewusste Verlangen nach eigener Identität die ortsbezogenen Identifikationsprozesse in Gang brachten (vgl. WEICHHART 1999a:3).

Das Ziel dieses Abschnittes ist vor diesem Hintergrund, eine theoretisch fundierte Definition raumbezogener Identitäten zu finden, die dem Erkenntnisinteresse dieser Studie am nächsten steht.

3.1. Identität und Identifikation

3.1.1. Zum Begriff der Identität

Die Auseinandersetzung mit raumbezogenen Identitäten führt zwangsläufig dazu, vorerst den Begriffsbestandteil 'Identität' zu analysieren. Da es in der wissenschaftlichen Identitätsdiskussion vielfältige Auffassungen dieses Begriffes gibt, ist auch hier die Wiedergabe einer klaren Identitätsdefinition nicht möglich. Nach RHEINHOLD (vgl. 2000: 276) ist 'Identität'[15] die Gesamtheit der Antworten auf die elementaren Fragen „Wer bin ich?" und „Wer sind wir?" Die erstere Frage weist auf die Identitätsbildung eines Individuums hin. Doch die Art der Identität ist nicht gleichzusetzen mit dem sozial-psychologischen Identitätsbegriff. Als Ausganspunkt für die Betrachtung von Identität[16] werden daher im Rahmen dieser Studie jene theoretischen Ansätze der sozialpsychologischen

---

[15]   Von lat. *idem* – 'dasselbe'.

[16]   „Identität" als Forschungsinteresse erlebte in den Jahren um 1980 eine Hochkonjunktur
        (vgl. ASSMANN 1992:130).

Identitätsforschung umrissen, welche sozio-kognitive wie auch individuelle Aspekte in der Identitätsdebatte in den Vordergrund rücken.

In der Sozialpsychologie wird 'Identität' bezeichnet als „individuelle soziale Verortung", als „selbstreflexives Scharnier zwischen innerer und äußerer Welt" (vgl. KEUPP ET AL. 2006:28). Dabei geht es um die Kontinuität und Gleichheit des Ichs in der sozialen Umgebung. Somit wird die kognitive Ebene der Identifikationsprozesse fokussiert und mit den sozialen Interaktionsprozessen verknüpft, innerhalb deren Identitäten konstruiert werden. Das Individuum wird in den Mittelpunkt der gesellschaftlichen Interaktionen gestellt, denn jenes und seine Kognition sind parallel an der Konstruktion raumbezogener Identitäten beteiligt. KRAPPMANN (1971:8) benennt mit Identität „die vom Individuum für die Beteiligung an Kommunikation und gemeinsamem Handeln zu erbringende Leistung". Demnach entsteht Identität in der kommunikativen Interaktion eines Individuums mit Mitmenschen in einer gegebenen Situation. Dadurch ist Identität „kein starres Selbstbild", sondern es verändert sich von Situation zu Situation. „Vielmehr stellt sie eine Verknüpfung früherer und anderer Interaktionsbeteiligungen des Individuums mit den Erwartungen und Bedürfnissen, die in der aktuellen Situation auftreten, dar" (vgl.ebd.:9). Auch ASSMANN (vgl. 1992:130) weist auf den soziokognitiven Moment der Identitätsentstehung, indem er feststellt: „Identität ist eine Sache des Bewusstseins, d.h. des Reflexivwerdens eines unbewussten Selbstbildes". Nach TAJFEL (vgl. 1982:102) wird Identität als Teil des Selbstkonzeptes eines Individuums konstruiert, wobei sein Wissen, das soziale Umfeld, Werte und emotionale Befindlichkeit mitbestimmend sind.

In der diskursanalytischen Tradition sind WODAK ET AL. (1998: 48f.) der Meinung, dass der Begriff der 'Identität' „eine relativ einfache Erklärungskraft" besitze. Der nach dem logischen Gehalt eher relationale Begriff bestimme „das Verhältnis zwischen zwei oder mehreren Relata dahingehend, dass er seine Selbigkeit, Nämlichkeit und Gleichheit behauptet". Im Weiteren betonen die Autoren den befindlichen, veränderlichen und prozesshaften Charakter von Identitäten. In ihrer Studie zur österreichischen Identität konzeptualisieren WODAK ET

AL. (vgl. 1998:42.) Identitäten über Diskurse zwischen sozialen Akteuren.[17] Diskursive Handlungen sind laut der Autoren in mehrfacher Hinsicht sozial konstitutiv (vgl. ebd.:42f.): Zum ersten haben sie Anteil an der Konstruktion bestimmter gesellschaftlicher Verhältnisse. Zum zweiten tragen sie dazu bei, „den gesellschaftlichen Status quo ante zu restaurieren, zu rechtfertigen oder zu relativieren". Drittens können diskursive Handlungen den Status quo aufrechterhalten oder reproduzieren, und viertens können sie den Status quo transformieren, demontieren oder destruieren. Individuen als Akteure der diskursiven Handlungen konstruieren die Wirklichkeit mittels sprachlicher Mittel, Formen sowie Strukturen, wobei auch außersprachliche soziologische Merkmale, institutionelle Rahmenbedingungen sowie interdiskursive Aspekte als relevante Indikatoren in die Identitätsbildung mit einfließen (vgl. WODAK ET AL. 1998:46). Daher setzen die Autoren bei der Erforschung von nationalen Identitäten auf die Interpretation von authentischen, tatsächlichen Produkten alltäglicher Kommunikation an institutionellen, medialen, politischen und anderen Schauplätzen (vgl. ebd.:94), und bedienen sich dabei eines Kategorienrasters. Zum festen Setting gehören Personenreferenz, Ortsreferenz und Zeitreferenz.

Generell lässt sich sagen, dass Identität ein dynamischer, kognitiver und fortlaufender Prozess ist, der individuell oder kollektiv in sozialen und kommunikativen Interaktionen mit Anderen und in Abgrenzung von Anderen entsteht. Zum einen wird Identität durch das Selbstbild (Identität) – wie man sich selbst denkt und sieht – definiert und zum anderen über das Fremdbild (Image)[18], das Andere

---

[17] Kritische Diskursanalyse sieht Individuen als in einer Sprachgemeinschaft sprechende Subjekte (vgl. WODAK ET AL. 1998:42f.). Identitäten werden somit über sprachliche Repräsentationen in unterschiedlichen dialogischen Kontexten konstruiert.

[18] Im Kontext des Identitäts-und Image-Managements spricht EBERT (2006:89ff.) von „Impression Management": Selbstdarstellung/-stilisierung beginnt demnach, sobald man ein eigenes Bild/Identität konstituiert, um eine bestimmte Wirkung zu erzielen. Fremdbild (Image, auch Scheinbild genannt) ist dagegen das zielgruppenspezifische Bild, das andere entwerfen. Das Fremdbild kann sich auf das Selbstbild auswirken: „Entweder bestärkt das Selbstbild, korrigiert es oder stellt es in Frage". Mit Blick auf den Standortwettbewerb und andere Veränderungen sei es wichtig, „dass das Selbstbild vieler Kommunen professionalisiert werden muss, um die Attraktivität für BürgerInnen wie für Investoren zu steigern"(ebd.:90).

von Einem entwerfen. Nun soll kurz geklärt werden, was man unter dem Begriff der 'Identifikationen' überhaupt versteht und welche Identifikationsprozesse in der Identitätsforschung unterschieden werden.

3.1.2. Zum Begriff der Identifikation

'Identifikation'[19] wird in der Psychologie definiert als teils unbewusste, teils bewusste Übernahme von Verhaltenstendenzen und Einstellungen eines anderen Menschen (vgl. RHEINHOLD 2000:275f.). Hinsichtlich raumbezogener Identitäten wird Identifikation positiv bewertet als kollektive Rückbesinnung auf das Dasselbe/das Gleiche und auf die Vorteile der eigenen Region. Dabei werden Teile des Gefühlslebens des Anderen als eigene anerkannt und nachempfunden, was dazu führt, dass engere zwischenmenschliche Bindungen aufgebaut, gepflegt und weiterentwickelt werden. Mit VON DE DONK ET AL. (vgl. 2010:14ff.) unterscheide ich drei Arten der Identifikationsprozesse:

3.1.2.1. Funktionelle Identifikation

Zur Entstehung der funktionellen Identifikation werden gemeinsame Interessen und Aufgaben vorausgesetzt, die in einer Gemeinschaft auf ein kollektives Ziel ausgerichtet sind. Sie entstehen zumeist in Gesellschaften, in welchen es eine gegenseitige Abhängigkeit der Menschen gibt. Funktionelle Identifikation ist ein Prozess, in dem Mensch als Individuum mit seinen unterschiedlichen funktionellen Verbindungen betrachtet wird: Es strebt einen homogenen, sozialen und gruppenfreien Zusammenhalt an, durch welchen typische Stereotypen (z.B. ethnische Bindungen) aufgelöst werden und eine neue Kategorisierung der Funktionalität stattfindet.

Städte und Gemeinden sehen die Autoren als substanzielle Orte für die Entstehung der funktionellen Identifikation, die angesichts der gegenwärtigen sozialen, wirtschaftlichen und politischen Entwicklungen auf unterschiedlichen Ebenen entsprechend optimiert werden müssen, um ihre Funktionalität in allerlei Hinsicht zu gewährleisten.

---

[19]   Von lat. *idem* – 'dasselbe' und *facere* – 'machen': bedeutet so viel wie 'gleichsetzen, identifizieren'.

3.1.2.2. Normative Identifikation

Normative Identifikation legt Richtlinien fest und zielt darauf ab, diese in politische und öffentliche Strukturen einzubringen, um das gesellschaftliche Zusammenleben wie auch den Zugang zu den politischen Tätigkeitsfeldern zu erleich-
tern. In der heutigen Gesellschaft gelten Normen als situationsbezogene Spezifi-
zierungen der Wertesysteme und stellen die Verbindung zwischen kulturellem
und sozialem System her. Sie ergänzen und präzisieren Werte, wirken als Me-
chanismen und helfen, bestimmte soziale Situationen mit Gruppeninteressen zu
koordinieren. Normen und Regelmäßigkeit gewährleisten Handlungssicherheit, -
routine und die soziale Ordnung, da sie die notwendigen Maßstäbe festlegen.
(vgl. RHEINHOLD 2000:470).

Multikulturalität und Pluralismus bringen mit sich eine Normenvielfalt und
gleichzeitig einen Normenverfall. Daher sollen die entscheidenden Organe bei
der Normenfestlegung die Vielfalt der gesellschaftlichen Wandlungen innerhalb
einer Stadt beachten, wobei die Exekutive ein wichtiger Multiplikator ist, dem
die wichtige Aufgabe der Normenbildung obliegt. In diesem Kontext ist es
durchaus wichtig, sich mit Normen zu beschäftigen, sie zu beschreiben, zu argumentieren und neu zu diskutieren, da sie bei den Identifikationsprozessen eine
besondere Stellung nehmen. Misslingt die normative Identifikation, so sind
funktionelle und emotionelle Identifikationen nahezu unmöglich.

3.1.2.3. Emotionale Identifikation

Emotionale Identifikation ist im Identitätsdiskurs stark in den Vordergrund ge-
treten, obwohl es nur ein Nebenprodukt der funktionellen und normativen Identifikation ist. Damit ist gemeint „eine grundsätzlich positive emotionale Bindung
an ein bestimmtes Gebiet oder Territorium" (vgl. WEICHHART 1999a:2). Subjektive Empfindungen, die sich bei einem Individuum einstellen, wenn es an
seine Heimat denkt, erfüllen bei Identifikationsprozessen viele positive Funktionen: Zum einem verstärken sie die Selbstidentifikation. Zum anderen fördern sie
die Gesamtheit an sozialen Interaktionen und tragen zur Konstituierung kollektiver Identität bei.

Da Heimatsgefühle zahlreiche positive Energien bei Identifikationsprozessen
freisetzen, erschien es mir als wichtig, sich der breit angelegten wissenschaftli-

chen Emotionsdiskussion soweit anzunähern, damit wir verstehen, was Emotionen überhaupt sind und warum ihnen so große Bedeutung bei der Bildung von regionalen Identitäten zugeschrieben wird.

3.1.2.3.1. Exkurs: Emotionen

Lange Zeit waren Emotionen in der Forschung vernachlässigt. Seitdem man jedoch erkannte, dass das „Primat der Kognition" gegenüber Emotionen nicht aufrecht zu erhalten ist und Emotionen einen integralen Bestandteil kognitiver und nicht wie bisher geurteilt irrationaler Prozesse bilden, kam es zum Umdenken in Emotionsforschung[20] und folglich in anderen Disziplinen (vgl. HAIDER 2005:33). Dass Psychologie, Soziologie oder Politik sich Gefühle zu eigen machen, liegt zum einem daran, dass Bemühungen, Handlungs- und Verhaltensmotive zu ergründen, scheitern. Zum anderen will neben der Macht der Worte auch die „Macht der Gefühle" genutzt werden. Wenn man aber Rationalität und Emotionalität als eine Art Symbiose betrachtet, können Gefühle „einen Mehrwert jenseits rationalen Erklärungspotenzials" bieten (vgl. ASCHMANN 2005:8).

Mit 'Emotionen' bezeichnet werden in der Psychologie „Prozesse, die in einer Person durch bewusste oder unbewusste Wahrnehmung der Relevanz eines Reizes/Ereignisses in Hinblick auf ein momentanes Ziel ausgelöst werden" (vgl. HEIDER 2005:36). Es lassen sich zwei emotionale Funktionsebenen differenzieren (SCHWARZ-FRIESEL 2007:73f.):

> „Als Kenntnissysteme speichern Emotionskategorien teils universale, angeborene Empfindens- und Verhaltensmuster, teils sozial gesteuerte und individuelle Erlebens- und Erfahrungswerte."

> „Als Bewertungssysteme werden sie (teils bewusst, teils unbewusst) benutzt, um innere und äußere Sachverhalte je nach Situation einzuschätzen und Urteile zu treffen."

In der ersten Funktion interagieren emotionale Elemente mit kognitiven, motivationalen und psychosomatischen Komponenten individueller wie sozialer Herkunft. In der zweiten Funktion determinieren Emotionen situationsabhängig

---

[20]   Seit der Etablierung der Emotionsforschung vor ca. 20 Jahren in Deutschland wird der Zusammenspiel von Emotionen und Rationalität oder „Gefühl und Kalkül" in unterschiedlichen Disziplinen der Humanwissenschaften aber auch in der Wirtschaft (z.B. Personalführung, Marketing) genauer untersucht.

geistige Prozesse der Einschätzung und Schlussfolgerung (vgl. SCHWARZ-FRIESEL 2007:73). BERGLER (vgl. 1997:119) ist dagegen der Meinung, dass „Gefühle als zentrale Motivationssysteme" nicht nur determinieren sondern auch modifizieren alle menschlichen Wahrnehmungs-, Orientierungs-, Entscheidungs- und Kommunikationsprozesse. Zudem sind Gefühle an soziale Interaktionen gebunden: „Man kann (...) Emotionen nicht von der Welt der Sozialbeziehungen trennen. Unsere Gefühle werden von unseren sozialen Kontakten gesteuert" (vgl. GOLLEMAN 2008:133).

Daraus ergibt sich die Relevanz der Emotionen für diese Untersuchung. Emotionen als kognitive individual- und sozialgebundene Inhalte belgeiten die räumlichen Identitätsbildungsprozesse und können durchaus ihre Dynamik beeinflussen. Bei dieser Analyse handelt es sich vordergrundig um Emotionen der Bürgermeister. Es können aber genauso Emotionen jedes weiteren Individuums oder konkreter Interessengruppen sein. Emotionalität gibt oft unbemerkt bei Entscheidungen den Ton an unabhängig davon, ob es sich um ein Wahlergebnis oder um ehrenamtliche Tätigkeit handelt.

Lokale und regionale Bezugsebenen bilden für diese Überlegungen „einen wichtigen Orientierungsrahmen", „eine Bezugsgröße individuellen Handels und sozialer Interaktionen" innerhalb dessen starke raumbezogene, individuelle und kollektive Emotionen ihre Verwirklichung finden (vgl. WEICHHART 1999a:2)[21]. Zudem sind Städten als wichtigen Orientierungsgrößen neben Sozial- oder Wirtschaftsstrukturen auch „die Gefühlsstrukturen" eigen. Zum einen sind es „Emotionen, die sich direkt an eine Stadt binden" und zum anderen „emotionale Kulturen", die eine Stadt durch Jahrzehnte hindurch zu einer dynamischen, phlegmatischen oder eher melancholischen Stadt machen (vgl. LÖW 2011:33).

Da Gefühle eine feste subjektiv geprägte Dimension des Identitätsbegriffs bilden, gilt der Augenmerkt einer der Teilanalysen der Emotionen. Es werden

---

[21]   WEICHHART (1999a:2ff.) verbindet mit raumbezogenen Identitäten „eine grundsätzlich positive emotionale Bindung an ein bestimmtes Gebiet oder Territorium". Mit „emotionaler Bindung" sind gemeint spontane Assoziationen, die sich bei einem Subjektiv einstellen, wenn es an „Heimat" denkt. „Heimatbindung" mobilisiert somit subjektive bewusste und unbewusste Erlebnisse, die physikalisch verortet werden.

emotionale Ausdrucke herausgefiltert und situationsbezogen untersucht, um die Antwort auf die Fragen zu finden: Welche Emotionen die Bürgermeister zum Ausdruck bringen? Und: Welche Gefühlslagen für die Identifikationsbildungsprozesse charakteristisch sind.

3.2. Raumbezogene Identitäten

Die oben dargelegten Grundaspekte der Identität führen zu einer Definition raumbezogener Identitäten, die mit WEICHHART (1999a:10ff.) in einem Dreierschritt formuliert werden kann.

In der ersten Teilbedeutung ist raumbezogene Identität

„die kognitiv-emotionale Repräsentation von räumlichen Objekten, die im Bewusstsein eines Individuums bzw. im kollektiven Urteil einer Gruppe entstehen."

Diese Teilbedeutung unterstreicht den kognitiven und emotionalen Charakter raumbezogener Identität, die entweder vom Individuum oder von Kollektiv konstruiert wird. Dieser typisch kognitive Bewusstseinsprozess, der in sozialen Repräsentationen[22] entsteht, wird nach WEICHHART (vgl. ebd.:2) mit emotionaler Identifikation in Verbindung gesetzt, wobei das Heimatgefühl am stärksten konnotiert wird. Emotionale Bindungen bilden somit einen „wichtigen Orientierungsrahmen, der in unterschiedlichen Lebensbereichen als „Bezugsgröße individuellen Handelns und sozialer Interaktion wirksam wird" (vgl. ebd.:3). Bewusstseinsprozesse werden in den Vordergrund gestellt, denn eine starke raumbezogene Identität setzt ein stark ausgeprägtes Bewusstsein voraus.

In der zweiten Teilbedeutung bezeichnet WEICHHART mit raumbezogener Identität

---

[22] Das Konzept „Sozialer Repräsentationen" stammt von MOSCOVICI (1961) und wurde seither in der Psychologie und Soziologie weiter ausgearbeitet. Er selbst definiert Soziale Repräsentationen als „eine Reihe von Begriffen, Aussagen und Erklärungen, die ihren Ursprung im täglichen Leben, im Verlauf interindividueller Kommunikationen haben. Sie sind in unserer Gesellschaft die Entsprechung der Mythen und Glaubenssysteme traditioneller Gesellschaften, man könnte sie sogar als zeitgenössische Version des gesunden Menschenverstandes betrachten" (MOSCOVICI 1981:181). Wissenschaftlichem und sozialem Wissen wird dabei ein „wirklichkeitskonstruierender Charakter" zugesprochen.

„die gedankliche Repräsentation menschlicher Subjekte (Personen) im Bewusstsein eines Individuums bzw. im kollektiven Urteil einer Gruppe. Dabei werden diesen Personen Attribute zugeschrieben, die aus ihrer Position im 'Raum' abgeleitet werden."

Der gedankliche Prozess des Identifizierens in der zweiten Bedeutung bezieht
sich auf die Identität von Subjekten – Individuen und Gruppen –, wobei die be-
treffende Person bestimmte Charakter- oder Persönlichkeitsmerkmale besitzt.
Darauf aufbauend definiert WEICHHART raumbezogene Identität als Selbst-
Identifikation in Abgrenzung zu Fremdidentifikationen, die auf die Eigenschaften zurückgreifen, die sich „aus der Position" der Identifizierten „im Raum" ergeben: aus Wohnort, Region, der sozialen Position, Kultur etc. (vgl. ebd.:13).

In der dritten Bedeutung konzipiert er raumbezogene Identitäten als

„die gedankliche Repräsentation und emotionale Bewertung jener Elemente der Umwelt, die ein Individuum in sein Selbstkonzept einbezieht. Raumbezogene Identität
verweist schließlich auf die Selbst-Identität einer Gruppe, die einen bestimmten Raum-
ausschnitt als Bestandteil des Zusammengehörigkeitsgefühls wahrnimmt und der damit
einen Teil ihres 'Wir-Konzeptes' darstellt."

Diese Teilbedeutung bezieht sich explizit auf den Aspekt der Selbst- und Gruppenidentität. Das Individuum gilt hier als Fundament aller Identifikationsprozesse, die in sozialen kommunikativen Interaktionen konstruiert werden. Da aber
ein Individuum immer im Kontext der Gemeinschaft gesehen wird, setzt man
ihm durch Gruppenidentität und Gruppenbewusstsein eine kollektive Zugehörigkeit voraus. Vor diesem Hintergrund ist ein Individuum ein Teil der „Wir-
Identität", was im Konzept der Selbst-Identität verankert ist (vgl. WEICHHART
1999a:14).

Diese Interpretation macht deutlich, dass raumbezogene Identitäten im Bewusstsein der Individuen entstehen und ohne den sozialen Bezugsrahmen – Interaktionen und Kommunikation mit der jeweiligen Referenzgruppe – nicht
möglich sind. Für diese Studie ist das kognitive und emotionale Moment entscheidend: Bewusstsein, Wissen und Emotionen setzen bei der Konstruktion von
raumbezogenen Identitäten relevante Maßstäbe.

3.2.1. Zur Kategorie des Raumes

Der räumliche Bezug der Identität bildet bei den Identifikationsprozessen eine wichtige „Projektionsfläche" für das Ich und Wir. Über die 'Kategorie des Raumes' wird raumbezogene Identität definiert als:

> „die subjektiv oder gruppenspezifisch wahrgenommene Identität eines bestimmten Raumausschnittes und damit auch seine Abgrenzung gegenüber der mentalen/ideologischen Repräsentationen anderer Gebiete (...)"(WEICHAHRT 1990:20).

Mit dieser Kategorie wird hier die besondere „Bindung an ein bestimmtes Gebiet oder Territorium" gemeint (vgl. WEICHAHRT 1999a:7). Raum als Identifikationsobjekt schafft eine Bezugsebene, auf die Individuen oder Kollektive zurückgreifen, um sich selbst als eine kognitive und gefühlte Einheit räumlich in einer physisch-materiellen Welt zu verorten. „Raum, beziehungsweise konkrete Orte, sind Arenen jener sozialer Interaktionen", durch die er konstituiert wird (vgl. MARXHAUSEN 2010:60). Die Raumkategorie bildet einen festen, zeitlosen und unveränderlichen Handlungsrahmen, und deshalb ist sie für das Individuum eine wichtige Größe, um das Eigene und das Fremde zu bestimmen und abzugrenzen (vgl. BORMANN 2001:238, 266).

3.3. Metaphern und ihre Rolle bei der Konstruktion von Identitäten

In der Forschungsliteratur zur Identitätsbildung wird Metaphern eine wirklichkeitskonstruierende Rolle zugeschrieben. Daher werden zum Abschluss der theoretischen Überlegungen umreisend diejenigen Theorien anvisiert, die diese besondere Rolle der Metaphern in diesem Kontext verdeutlichen. Ausgehend von ihrer Leistungen bei mentalen Erfassungssystemen, über ihre Bedeutung in kommunikativen Prozessen bis hin zu ihrer wirklichkeitsvermittelnden Funktion werden diese Ansätze skizziert, die veranschaulichen, warum Metaphern ein fester Bestandteil des diskursanalytischen Untersuchungssettings zu Identitätsbildungsprozessen sind.[23]

---

[23] Metaphernanalyse ordnet MARXHAUSEN (vgl. 2010:211) im Rahmen der diskurslinguistischen Analyse „dem Kernbestand" des methodischen Apparates zur Untersuchung von Identitäten.

Im Rahmen der gesellschaftlichen und kommunikativen Interaktionen ordnet BERTAU (1996:216ff.) Metaphern unterschiedliche Leistungen zu: Die erste *Leistung der Behebung der Mangel der Sprache* besteht darin, dass metaphorisch das ausdrückt werden kann, was normalerweise schwer wiederzugeben ist. Diese Leistung steht eng mit der weiteren *Leistung des Verständlichmachens schwer fassbarer Inhalte* zusammen, mit Hilfe deren unverständliche abstrakte wie auch komplizierte Sachverhalte fassbar gemacht werden können.[24] Bei *der Leistung der Argumentation* handelt es sich wiederum „um eine unrechtmäßige Zuordnung der ursprünglich illustrativen Metaphern" den realen Dingen. Diese zugedachte argumentative Leistung soll mit Vorsicht verwendet werden, da sie ein besonderes Konfliktpotenzial mit sich bringen kann. In *der Leistung der Herstellung von Intimität* sieht BERTAU (vgl. 1996:221ff.) die nächste bedeutsame Leistung der Metaphern darin, dass sich eine Person in der Intimität des Sprechaktes eigene spezifische Metaphern ausdenkt, „wodurch sie sich zu ihrer unverwechselbaren Identität versichert" und sich auf diese Weise die äußere Welt erklären kann. So wird erzeugt Nähe, Verständlichkeit und eine besondere Beziehung zwischen Produzenten und Rezipienten. Durch *die Leistung der Eigendarstellung* kann ein Individuum dank Metaphern indirekt über eigene Haltungen, Meinungen und Einsichten informieren, wobei es bei diffusen Themen die höfliche Contenance bewahrt. Die *Leistung der Spielfreunde* meint zuletzt die spielerische Verwendung von Metaphern mit dem Ziel, die Aufmerksamkeit zu fesseln und auf relevante Inhalte hinzuweisen.

Überträgt man diese Leistungen auf kognitive, individuelle oder kollektive Identifikationsprozesse, können Metaphern bei der „Sinnstiftung", bei der „Formung" des Selbst-, des Gemeinschaftsbildes und der urbanen Identität einen essentiellen Beitrag leisten (vgl. HOINLE 1999:80). Metaphern sind vom menschlichen Wahrnehmen, Denken und Handeln nicht zu trennen, da sie ein

---

[24]   In diesem Zusammenhang ist das Metaphernkonzept von NONAKA/TAKEUCHI (vgl. 1997:82) erwähnenswert, wonach Metaphern „das Verbindungsstück zwischen neuen Konzepten und den daraus entstehenden Modellen" bilden. Metaphern sind das wichtige Instrument bei der Externalisierung des Wissens, und „in diesem essentiellen Prozess nimmt das implizite Wissen die Form von Metaphern (...) an" (ebd.:77). Somit kann Metaphern eine wissensvermittelnde Funktion zugeschrieben werden.

fester Bestandteil des menschlichen konzeptuellen Erfassungssystems sind, das von einem „Konzeptsystem" angeleitet wird (vgl. LAKOFF&JOHNSON 1998:11). Dieses Konzeptsystem, in welchem Konzeptmetaphern[25] eine wichtige Funktion erfüllen, wird zum größten Teil metaphorisch angelegt. Demnach werden mit Hilfe von elementar angelegten Alltagsmetaphern diese mentalen Konzepte und Konstruktionen von Inhalten und Situationen wiedergegeben, die normalerweise schwer erfassbar und schwer artikulierbar sind. In diesem Kontext weist MARX-HAUSEN (vgl. 2010:211) „Metaphern als kognitiven Grundoperationen eine wichtige Rolle in der deklarativen Erfassung von Wirklichkeit" zu. Demnach strukturieren Metaphern nicht nur das Denken oder das Sprechen, sondern sie konzeptualisieren und konstruieren auch die Realität. Auch LIEBERT (2003:85) fasst Metaphern als eine „besondere Kategorie unseres Denkens und Erlebenes" auf, und bei der Konstruktion von Identitäten weist er ihnen einen außerordentlichen Status zu. Besonders interessant sind für ihn diese Eigenschaften von Metaphern, die „bekannte Gegenstände und Inhalte neu kategorisieren und perspektivieren", da diese gültige Antworten auf die existenziellen Grundfragen liefern (vgl. ebd.:83).[26]

---

[25]   Unter Konzeptmetaphern versteht man eine kontextfreie Abstraktion, die durch konkrete metaphorische Ausdrücke realisiert wird. Sie haben ihren Ursprung zum Teil in körperlichen Wahrnehmungen – z.b. der verbreiteten Metapher der räumlichen Orientierung: „Die Raumkonzepte des Menschen umfassen (…) Orientierungen wie oben-unten, vorne-hinten, innen-außen, nah-fern, usw. genau diese Orientierungen brauchen wir für unsere kontinuierlichen alltäglichen körperlichen Funktionsabläufe, und dieser Umstand macht – für uns – diese Raumkonzepte wichtiger als andere mögliche Strukturierungen des Raumes" (vgl. LAKOFF/JOHNSON 1998:70:71).

[26]   Nach LIEBERT (2003:83f.) geht man bei den Grundfragen davon aus, „dass soziale Akteure bestimmte Fragen stellen und beantworten müssen, um sinnvoll in ihrer Umwelt handeln zu können. Bei diesen Fragen handelt es sich solche Fragen nach Identität (Wer sind wir?), nach der Geschichte (Woher kommen wir?), nach der Gegenwart (Wer sind wir jetzt?) und nach der Zukunft (Wohin gehen wir?) Diese Fragen nach der Wir Identität, Wir-Zielen, Wir-Zukunft und ihre Antworten konstituieren damit ein soziales System und schaffen einen grundlegenden Orientierungsrahmen." Diese Antworten werden mit dem Begriff Sinnformeln bezeichnet. Im Rahmen dieser Untersuchung können also vorgestellte Ergebnisse im Sinne von Sinnformeln aufgefasst werden.

Unter Berücksichtigung der vorhergehenden Überlegungen erfüllen Metaphern in unserem Untersuchungsrahmen eine Doppelfunktion: Zum einem vermitteln Metaphern in der Situation des Neujahrsempfangs das individuelle Wissen oder Planungswissen, indem sie Bekanntes neu strukturieren und Neues als verständliche Konzepte an den Zuhörer bringen. Zum anderen – worauf der Fokus der empirischen Analyse insbesondere gelegt wird – konstruieren Metaphern die Selbstidentität der Städte, indem sie über die Problem- und Erfolgslagen informieren und die Wirklichkeit wiedergeben. Da die sprachlichen Denkbilder „aufgrund ihres Tiefeneffekts im Gedächtnis des Einzelnen und der soziokulturellen Gemeinschaft [länger und besser] haften" und das Publikum zu weiteren Assoziationen anregen (vgl. HOINHLE 1999:8), ist ihre Verwendung in diesem Rahmen durchaus angebracht und wirksam. Daher sollten in einem der empirischen Analyseteile Antworten auf folgende Fragen gesucht werden: Welche Metaphern benutzen die Bürgermeister für die Konzeptualisierung der urbanen Identitätsprozesse? Welche Denkbilder werden vermittelt? Und: Wie weit die eingesetzten Metaphern dem Anspruch, eine „wirklichkeitskonstruierende Rolle" zu haben, gerecht werden?

II. Empirische Untersuchung

4. Die Untersuchung

4.1. Begründung des Themas

Die fortschreitende Europäisierung und Globalisierung sowie die daraus resultierenden Entwicklungen auf der politischen, wirtschaftlichen, demografischen und ökologischen Ebene fordern Städte und Gemeinden heraus, sich angesichts des zunehmenden Wettbewerbs regional und überregional neu zu präsentieren. Eingebettet in die entgegen der Globalisierung verlaufenden Regionalisierungsprozesse rücken Städte und Kommunen auf der Suche nach neuen Identitäten zusammen, denn durch gemeinsame Vernetzungen können sie ihre Kräfte bündeln, Transaktionskosten senken, Erfahrungen integrieren und auf dieser Grundlage „ganz neue kreative Lösungen" entwickeln (vgl. EBERT ET AL. 2008:18). In diesem Rahmen entfalten sich raumbezogene Identitäten zu einer neuen Bezugsgröße interaktiven, individuellen und kollektiven Handelns, innerhalb deren fortdauernd Wissen erzeugt wird. Von Wissen und praktischer Erfahrungen aller BürgerInnen können Städte und Gemeinden im Sinne des Ansatzes „Knowledge democracy" voneinander profitieren, da Städte nicht nur symbolische Orte der Selbstpräsentation sind, sondern konkrete von Subjekten gelebte und entworfene Orte, die sich durch charakteristische Leitbilder, Werte und Eigenidentität in Abgrenzung zu anderen Städten definieren.

Vor diesem Hintergrund und im Sinne der skizzierten Erkenntnisse der Betriebswirtschaftslehre und des Wissensmanagements erschien mir es als wichtig, in Neujahrsreden nach neuen Wissensdimensionen zu suchen. Dabei wird es auf eine „brachliegende Ressource" – also das individuelle Wissen der Bürgermeister – zurückgegriffen, um herauszufinden, was Bürgermeister, die hier als wissensproduzierende und -vermittelnde Individuen zwischen den Bürgern, dem Stadtrat und der Stadtverwaltung gelten, über die gegenwärtige Situation denken, was sie für richtig und schlecht halten, und wie sie zukünftig die Identifikationsprozesse und ein positives Selbstbild ihrer Stadt gestalten wollen. Dabei interessieren uns nicht nur die gegenwärtigen Rahmenbedingungen, sondern auch zukünftige Chancen und Risiken. Ferner wird mit Hilfe der Ergebnisse die begriffliche Repräsentation der raumbezogenen Identität Stadt konstruiert. Diese Vorgehensweise resultiert aus der Überzeugung heraus, dass das bürgermeisterliche Wissen verborgene Potenziale enthält, welche für Städte und Gemeinden bei der strategischen Neuausrichtung innovative und kreative Sichtweisen auf bereits bekannte Dinge liefern könnte.

4.2. Auswahl der Untersuchungsgruppe

Im Rahmen der Untersuchung erklärten sich 15 rheinische BürgermeisterInnen – darunter eine Frau und 14 Männer im Alter zwischen 40 und 60 Jahren – vorzugsweise aus den linksrheinisch gelegenen Gebieten des Niederrheins bereit, ihre Neujahrsreden für die Zwecke dieser Untersuchung zur Verfügung zu stellen. Diese Personen haben ihren Lebensschwerpunkt in einer der Städte des genannten Gebiets, insofern identifizieren sie sich mit dieser Region, spezifischer mit dem Gebiet der Stadt oder Gemeinde.

Die in den Untersuchungsprozess einbezogenen Personen lassen sich aus untersuchungspraktischen Gründen als kognitive, soziale und emotionale Einheiten beschreiben, die zum einen im betriebswirtschaftlichen Sinne Wissen produzieren, verwalten und teils bewusst, teils unbewusst an den Prozessen der Wissensgenerierung und -transformation teilnehmen. Zum anderen haben sie als Individuen stark ausgeprägte Identitäten, die sich mit einem bestimmten Raum identifizieren, emotional handeln und Einfluss ausüben können. Als öffentliche Person ist der Bürgermeister das Oberhaupt einer Stadt oder Gemeinde und wird je nach Bundesland direkt von Bürgern gewählt. Das Amt des Bürgermeistes gilt in Deutschland als das beliebteste Amt überhaupt: Bürgermeister genießen hohes Ansehen in der Bevölkerung und haben Freude an ihrem Amt.[27] Das Untersuchungsinteresse galt den Bürgermeistern, denn

---

[27]   S. Kommunalreport zu Ergebnissen der Umfrage der Bertelsmann Stiftung. Unter: http://www.dstgb.de   /homepage/kommunalreport/archiv_2008/hohe_zufriedenheit_der _buergermeister.html. Letzter Zugriff am 29.06.2010.

a) Bürgermeister genießen das Vertrauen der Gesellschaft.

b) Bürgermeister sind näher an der Realität (Bürgernähe).

c) Bürgermeister sind ein Typus deutscher Identität. [28]

Die fortschreitende Globalisierung und Europäisierung sowie regionale Entwicklungen haben zur Folge, dass das Amt des Bürgermeisters vor neuen Herausforderungen steht. Insofern ist es wichtig, dass der Typus des Bürgermeisters professionalisiert wird. In diesem Zusammenhang fällt die Hypothese: Da Bürgermeister aktiv an den sozialen kommunikativen Interaktionsprozessen beteiligt sind, tragen sie unmittelbar zur Entstehung und Vermittlung von Wissen bei. Somit können sie die Identifikationsprozesse nicht nur begleiten, sondern auch intensivieren. Vielleicht liegt in der gesellschaftlichen Konsensstiftung, der Entfaltung kollektiver Identifikationsprozesse und der wissensvermittelnden Rolle die Lösung für die weitere Optimierung des Bildes des Bürgermeisters.

4.3. Auswahl des Untersuchungsgegenstandes

Im Untersuchungsprozess bestand einer der ersten Schritte darin, den Untersuchungsgegenstand zu definieren: Es ist das Wissen rheinischer Bürgermeister, das in den zusammengestellten Neujahrsansprachen zum Ausdruck kommt. Wissen meint hier Meinungen, Einstellungen, Annahmen, Einsichten, Spekulationen, Glauben, Ideen, Wünsche, Vorstellungen, Bewertungen, aber auch Emotionen. Es ist individuelles Wissen, das kontextabhängig ist, und von eigenen Erfahrungen wie Erwartungen und Annahmen sowie Eigenwissen konstituiert wird. Dieses umfassende Wissen gilt es im ersten Schritt zu systematisieren, auf

---

[28] Das folgende Zitat bekräftigt dieses Argument: „Die vertiefte Bildungswelt lässt sich nicht wie eine offenbar vorbildliche Verhaltensnorm von Art etwa der Gentleman aneignen. Sie kann breite Schichten der Bevölkerung unberührt lasse, sie kann auch in sich selbst leichter als eine solche Verhaltensnorm und Etikette beiseite gedrängt werden. Der deutsche Typus des repräsentativen Politikers konnte sich nicht an den Stil des französischen Salons, eines klassischen Theaters und einer von ihm geprägten Advokatenrethorik anschließen. Gibt es überhaupt einen solchen öffentlichen Stil, so wird die eher an die Gestalt des bewährten Treuhänders in der Rolle des Bürgermeisters anzuschließen sein. So gesehen war es kein Zufall, dass Gegenkanzler zu Hitlers Herrschaft der Leipziger Oberbürgermeister Gördeler hatte sein sollen" (HENRICH 1993:37).

relevante Inhalte auszuwerten, und im weiteren Schritt auf der Basis der erstellten Informationen neues Wissen zu ermitteln. Dabei werden Gemeinsamkeiten
und Unterschiede aufgezeigt, und es wird gefragt, welche innovativen Konzepte
sich daraus für Städte und Kommunen entwickeln lassen.

Wissen der in die Untersuchung einbezogenen Personen ist zweifelsohne als
individuelles Fach- und Erfahrungswissen einzusehen, das hohe explizite Wis-
sensanteile beinhaltet. Nichtsdestotrotz soll anhand der Emotions- und Metaphernanalyse exemplarisch versucht werden, auch das schwer identifizierbare
und vermittelbare implizite Wissen zu externalisieren, wobei das Hauptinteresse
dem identitätskonstruierenden Potenzial von Emotionen und Metaphern gilt.

4.4. Beschreibung des Textkorpus

Um das Untersuchungskorpus zusammenzustellen, wandte ich mich zu Beginn
des Jahres 2010 auf dem Wege der elektronischen Post an 20 BürgermeisterInnen und Bürgermeisterämter des vorab abgesteckten Gebiets, und bat sie, mir
Neujahrsansprachen aus den Jahren 2010-2008 für die Analysezwecke zur Verfügung zu stellen. Es handelte sich dabei um mittlere und große Städte am Niederrhein, von denen ich annahm, dass sie sich durch hohe Bekanntschaft und
starke Positionierung auf der regionalen sowie interregionalen Ebene über eine
durchaus stabile Identität auszeichnen. Kleinere Städte schrieb ich nur vereinzelt
an, da ich durch deren niedrigen Bekanntheitsgrad davon ausging, dass dortige
BürgermeisterInnen keine Neujahrsreden im geforderten Umfang haben, was
sich auch später bestätigte. Von den 20 kontaktierten BürgermeisterInnen oder
MitarbeiterInnen dieser Ämter schickten mir vier keine Rückmeldung und einer
eine Absage begründet damit, dass der ortsansässige Bürgermeister keine Neujahrsreden hielte. Weitere 15 fügten ihrer Antwort direkt Texte bei.

Auf diese Weise kam die Sammlung der Neujahrsreden zusammen, die 35
Texte umfasst. Dabei kam es nicht darauf an, möglichst viele Texte zu erhalten,
sondern darauf, selektiv eine repräsentative Textauswahl aus dem gewünschten
Zeitraum zusammenzustellen. Obwohl diese Stichprobe nicht im statistischen
Sinne repräsentativ ist, darf sie als symptomatisch für die Aussageabsichten gel-
ten, da BürgermeisterInnen von insgesamt 15 niederrheinischen Städten vertre-

ten sind. Die niederrheinischen Städte sind: Brüggen, Duisburg, Emmerich, Geldern, Goch, Kalkar, Kempen, Krefeld, Moers, Mönchengladbach, Neuss, Rheydt, Viersen, Wesel.

4.4.1. Exkurs: Funktionen der Textsorte Neujahrsrede

Neujahrsrede ist eine Textsorte, die zu einer Untergruppe der politischen Texte gehört. Für die vorliegende Untersuchung ist diese Textsorte jedoch nicht an sich relevant, vielmehr sind es ihre Funktionen und Ziele. Mit EBERT (1997:28, Hervorhebung nach Autor) verstehe ich „unter der **Funktion** eines Textes seine Funktion in einer bestimmten Kommunikationssituation". Demnach ist jeder verfasste Text über seine Funktionsebenen auf das Erreichen konkreter Ziele in einer bestimmten Situation und Zeit hin ausgerichtet (vgl. ebd.:28f.):

- Textziel: Ein Text als Summe von Eigenschaften soll ein Ziel in einer bestimmten Kommunikationssituation erreichen, wobei er die Funktion des Informierens, Appellierens, Belehrens, Instrumentierens und Kontaktierens übernimmt.
- Wirkungsziel: Ein Text soll bei Rezipienten eine Reaktion erzielen. Nach der sog. AIDA-Formel lassen sich folgende Wirkungsziele festhalten: **A**ttention, **I**nterest, **D**esire und **A**ction (also Erweckung der Aufmerksamkeit, des Interesses und das Verlangen nach einer Handlung).
- Praxisziel: Ein Text soll in der Praxis ein Ziel ansteuern, das aber nicht unmittelbar erreicht wird.
- Produzentenziel: Der Autor/Produzent eines Textes verfasst einen Text mit Hinblick auf ein Ziel. Dieses soll, kann aber nicht immer erreicht werden. In manchen Fällen ruft er sogar eine ungewollte Wirkung hervor.

Betrachten wir von diesem Hintergrund die Neujahrsansprachen, so wird es uns klar, dass diese Texte die appellative, belehrende, instrumentative und kontaktierende Funktion durchaus vereinen und somit all diese Ziele unterschiedlich anstreben. Eingebettet in einem situativen Rahmen des traditionellen Neujahrsempfangs, der durch die Face-to-Face-Kommunikation, ein „dialoghaftes Agieren und Reagierern" zwischen dem sich unmittelbar gegenüber stehenden Redner und Publikum gekennzeichnet ist, hat die Neujahrrede zum Hauptziel, „eine

Gemeinsamkeit mit dem Publikum herzustellen, um es in einer gewissen Hinsicht von etwas zu überzeugen" (vgl. BECK 2001:3). Es ist ein ritualer Sprechakt, bei dem die gegenwärtige Lage geschildert, auf das abgelaufene Jahr resümierend zurück- und auf das nächste Jahr vorausgeblickt wird. Zudem wird durch die persönliche Einladung und das besondere Ambiente des Ortes sowie die festliche Inauguration des gemeinsamen Beisammenseins eine Art Intimität erzeugt, was eine persönliche, emotionale Bindung zwischen allen Teilnehmenden, vielmehr zwischen ihnen und ihrer Stadt oder Region, ins Spiel bringt. Die Sprache der Neujahrsreden wirkt wiederum „als Einheitssymbol [...] mit ähnlich integrierender Kraft" (vgl. DIECKMANN 1975:32), denn sie vereinigt Menschen mit gleichen politischen Überzeugungen, Einsichten, gemeinsamen Werten etc., und kann somit das Zusammengehörigkeitsgefühl vertiefen. Insofern erfüllen die Neujahransprachen durchaus den Zweck der Steuerung von Identifikationsbildungsprozessen.

4.5. Ziel der Untersuchung

Das primäre Ziel dieser Untersuchung ist es, auf das in den Neujahrsreden enthaltene komplexe individuelle Planungswissen der rheinischen BürgermeisterInnen zurückzugreifen und seine relevanten Wissensbestandteile – im Sinne von Schlüsselbegriffen – zu erschließen und zu systematisieren. Zwischen den relevantesten Inhalten sollen Vernetzungen auf unterschiedlichen Ebenen hergestellt werden mit dem Ziel, neue Wechselwirkungen und Verbindungen aufzuzeigen. Aus der Annahme heraus, dass raumbezogene Identitäten ein Wirkungsgefüge unterschiedlichster Schlüsselbegriffe sind, die kontinuierlich, dynamisch und komplementär untereinander evaluieren, sollen als nächstes Ziel relevante Begriffe der Inhaltebene erfasst und zu einer begrifflichen Präsentation der raumbezogenen Identität Stadt in Form des Gestaltenbaumes (S. 106) verwendet werden. Raumbezogene Identität ist durch die Operationalisierung der Methode ist raumbezogene Identität zu verstehen, als ein begrifflicher Konstrukt von wichtigsten Schlüsselbegriffen, Bewertungen, Kausalannahmen und Emotionen.

Eins der intendierten Nebenziele ist es, auf der sprachlichen Ebene emotive Ausdrucksformen zu untersuchen, die für die Identitätsbildung charakteristisch sind. Ein weiteres Nebenziel ist es, herauszufinden, wie Metaphern die urbanen Wirklichkeiten wiedergeben und wie mittels Metaphern Identitäten konstruiert werden. Die Ausformulierung von Lösungsvorschlägen für die aktuellen Probleme der Kommunen bildet nur eins der weiteren Unterziele der Untersuchung. Daher wird ihnen hier kein selbständiger Abschnitt zugeteilt sondern konkrete Empfehlungen werden direkt im Kontext vorgestellt.

In Hinblick auf die theoretische Verortung und den praktischen Nutzen verfolgt diese Studie ein übergeordnetes Ziel, die Lücke zwischen den beiden theoretischen Ebenen – also *Wissen* und *raumbezogenen Identitäten* – zu schließen, indem das Wissen der Bürgermeister für die Konstruktion der raumbezogenen Identität im Sinne der begrifflichen Präsentation der Identität Stadt genutzt wird.

4.6. Die Methode

Die Auswahl der empirischen Methode richtete sich nach der dieser Arbeit zugrunde liegenden Fragestellung und ihren Zielen. Am geeignetsten erwies sich für die vorliegende Untersuchung die qualitative Methode, die durch das multimodale inhaltsanalytische Verfahren Gabek® operationalisiert wurde. Von quantitativ konzipierten Projekten unterscheidet sich die Gabek-Methode a) durch die subjektive Datenbasis, b) durch qualitative Auswertung und Vernetzung aller Texte, c) durch ganzheitliche Darstellung der komplexen Meinungsvielfalt, d) durch die Formulierung von Ergebnissen in der Sprache der Zielgruppe, die e) mit Computerunterstützung abgefragt und überprüft werden können, und zuletzt durch f) „eine hierarchische Ordnung der Ergebnisse im Sinne ihrer Relevanz" für die befragte Gruppe (vgl. ZELGER 2002:6).

In der qualitativen Sozialforschung werden Individuen als „deutungs- und handlungsfähige Subjekte" aufgefasst. Die gesellschaftliche Realität ist in diesem Sinne nicht objektiv vorgegeben, sondern wird durch persönliche Deutungen und Sinnzuweisungen der Einzelpersonen konstruiert (vgl. BERGER/ LUCK-MANN 1969). Das Ziel der qualitativen Methode ist demnach, die Wirklichkeit aus der subjektiven Sicht der untersuchten Gruppe – hier der Bürgermeister – abzubilden. Die qualitative Methode hat den Vorteil, dass sie explorativ und

Hypothesen generierend angelegt ist, wobei die Theoriebildung schrittweise erfolgt und während der Untersuchung weiterentwickelt wird.

Für die Gabek®-Analyse von Texten sind Erfahrungen und Wissen der Mitglieder einer bestimmten Gruppe die Basis einer Untersuchung. Mit ZELGER (vgl. 2000:2) vollzieht sich die Integration von Erfahrungen und individuellem Wissen über Kommunikation. Sind aber die mitgeteilten Inhalte zu komplex, ist es nicht möglich, die Quintessenz zu erfassen. Gabek® macht es möglich, die Komplexität der Erfahrungen und des Wissens der untersuchten Zielgruppe – hier der niederrheinischen Bürgermeistern –, „zu einem übergeordneten kohärenten Ganzen zu verknüpfen" (vgl.ebd.)[29], um in einem weiteren Schritt Inhalte, Werte, Leitbilder, Mängel einer Gemeinschaft identifizieren zu können. Des Weiteren ist es möglich, auf dieser Basis zukunftsorientierte Konzepte und Lösungen zu entwickeln. Mit Gabek® werden sprachliche Äußerungen, Argumentationsmuster, Bewertungen, Emotionen analysiert mit dem Ziel, typische Denk- und Handlungsmuster, Werte, Ziele, Ängste oder Hoffnungen kommunaler und städtischer Gemeinschaften zu ermitteln. Ergebnisse, die Gabek® liefert, sind in der städtischen Wirklichkeit praktikabel.

Neujahrsreden bilden hier die Beleggrundlage der vorliegenden Untersuchung. Die Stichprobe umfasst homogene Texte unterschiedlicher Länge, die in der Originalversion in das Textprogramm WinRelan®, Version 5.5.004, eingelesen wurden. Es ergab sich dabei ein Datensatz von 1323 Sinneinheiten („text units") und 1559 Schlüsselbegriffen. Die einzelnen Schritte, mit denen die Textbasis ausgewertet wurde, sind nachfolgend erläutert.

Während der erste Teil interdisziplinär angelegt ist, ist der zweite Teil kommunikationsorientiert und fällt in den Bereich der Angewandten Sprachwissenschaft. Es geht in ihm „also nicht um die Anwendung von theoretischen Wissen in der Praxis, sondern die Angewandte Linguistik betreibt hier selbst Forschung, indem sie ihre Fragestellung nicht aus der Theorie, sondern aus der Praxis bezieht" (EBERT, 1997:20). Einzuräumen ist, dass diese vielen angerissenen Punk-

---

[29]   Im ZELGER'schen Sinne handelt es sich hier um Erfahrungen und Wissen „von Mitarbeitern und Kunden in einer Organisation" (vgl. 2000:2) Im Sinne der Arbeit geht es um Wissen und Erfahrungen der rheinischen Bürgermeister.

te viel mehr Aufmerksamkeit verdienen, als ihnen hier eingeräumt werden konnte: Das betrifft insbesondere die Problematik der Emotionalität, der Rezeption
von Metaphern sowie der diskursanalytischen Identitätsanalyse.

5. Das Verfahren Gabek®

Das Verfahren Gabek® ist ein qualitatives Verfahren zur Auswertung von Textdaten. Dieses Verfahren hat den Vorteil, dass kausale Ursache-
Wirkungszusammenhänge optimal geprüft und dargestellt werden können. Weitere Vorteile dieses Verfahrens liegen in der Möglichkeit einer sorgfältigen Aus-
führung und in der Repräsentativität der Ergebnisse. Zusätzlich ermöglicht diese
Methode eine konzentrierte Sicht auf bestimmte Sachinhalte, Vergleichsmög-
lichkeiten und statistische Aufsummierung von Daten. Für die Auswertung des
Textkorpus stehen je nach Analyserahmen verschiedene Auswertungsschritte
zur Verfügung, die für diese Untersuchung wie folgt ausgesucht wurden.

5.1. Grundkodierung

5.1.1. Die Ausdrucksliste

Am Beginn jeder Gabek-Auswertung steht die Kodierung von Textdaten über
Sinneinheiten und Schlüssel- oder Knotenausdrücke. Unter „Sinneinheiten" versteht man „nicht bloß formale Einheiten, sondern sinnvolle in sich abgeschlos-
sene Gedanken" (ZELGER 2002:22). Bei den lexikalischen Begriffen handelt es
sich um jene, die eine selbstständige semantische Bedeutung haben. Es können
Hauptwörter, Eigenschaftswörter und Zeitwörter sein. Identifiziert und kodiert
man in untersuchten Texten die inhaltlich relevanten Begriffe, so erhält man ein
semantisches Indexierungssystem, das erkennen lässt, welche „Sinneinheiten inhaltlich ähnlich sind und wie sie zusammenhängen"(ebd.:30). So ist z.B. der
Satz [A06][30] für sich verständlich und bildet eine geschlossene Sinneinheit:

---

[30] Dieses und alle weiteren Beispiele von Sinneinheiten und Schlüsselausdrücken kommen aus dem vorlie-
       genden Datensatz.

Sage und schreibe 77 Vereine fördern in der Gemeinde Brüggen die soziale Unterstützung der Mitmenschen, pflegen die Kultur und das Brauchtum, setzen sich für die Jugendarbeit und den Sport ein. [A06]

Der Sprecher betont die Rolle der Vereine in der Gemeinde Brüggen. Sie erfüllen demnach nicht nur eine unterstützende Sozialfunktion, sondern pflegen auch *Kultur* und arbeiten in Bereichen *Jugend* oder *Sport*. Die sinntragenden Begriffe in dieser Aussage sind 'Vereine', 'Gemeinde', 'Kultur' und 'Brauchtum', 'Jugendarbeit' und 'Sport'. Ließe man einen dieser Begriffe weg, so würde eine für das Verständnis dieser Aussage wesentliche Information verloren gehen. Um diesen Satz über diese Begriffe mit weiteren Sätzen verbinden zu können, ist eine einheitliche Kodierung der Begriffe unabdingbar. Für diesen Satz wurden dementsprechend die Knotenausdrücke *Gemeinde_Kommune*, *Unterstützung*, *Kulturförderung*, *Tradition_Brauchtum*, *Jugendarbeit*, *Sport*, *BürgerInnen_Mitmenschen*, *Förderung_fördern_etw/jmdn* und *Engagement* kodiert. Die kodierten Knoten- oder Schlüsselbegriffe repräsentieren den thematischen Satzinhalt, in dem es darum geht, dass der Bürgermeister einer Stadt das Zusammenwirken und den Engagement auf allen sozialen Ebenen als ein gemeinsames Ziel sieht. Eine Aussage über die inhaltlichen Zusammenhänge der einzelnen Begriffe zu treffen, ist auf der Grundlage der Knotenausdrücke alleine nicht möglich. WinRelan® ermöglicht allerdings den Zugriff auf weitere Sätze mit gleichen oder ähnlichen Inhalten. So ist der Beispielsatz [A06] über mehrere Knotenausdrücke (*Vereine*, *Gemeinde_Kommune*, *Engagement*, *BürgerInnen_Mitmenschen*) beispielsweise mit Satz [K80] verbunden:

In finanziell außerordentlich schwierigen Zeiten wie heute sind die Städte und Gemeinden mehr denn je auf die Hilfe der Bürgerschaft angewiesen. Zahlreiche Bürgerinnen und Bürger haben sich im zurückliegenden Jahr als Einzelperson, aber auch in Vereinen und Initiativen organisiert eingebracht ins lokale Geschehen und damit auf eindrucksvolle Weise gezeigt, wie sehr sie sich für die Sache und damit auch ein Stück für unsere Stadt einsetzen und sich mit ihr identifizieren.

Die zentrale Aussage dieser Sätze beruht auf der Meinung, dass ein gemeinschaftliches Engagement in Vereinen und anderen Bereichen für das Zusammenleben in einer Gemeinde oder Stadt unverzichtbar sei. Zwar würde ein gemeinsamer Knotenausdruck die Sätze auch vernetzen, jedoch mit der Zahl der übereinstimmenden Begriffe steigt auch die Wahrscheinlichkeit einer thematischen Ähnlichkeit. Für den Satz [K80] gibt es noch eine Erweiterung zu diesem Thema, die durch die Knotenausdrücke *Identität_sich_identifizieren_mit_etw und Stadt* zum Ausdruck gebracht wird. Das gemeinschaftliche Engagement zeigt, wie sehr sich die Bürger für die Stadt oder Gemeinde einsetzen und sich somit mit ihr identifizieren. Sucht man über die Begriffe *Identität_sich_identifizieren_mit_etw*, *Stadt* und *Engagement* nach weiteren Sätzen, so findet man u.a. den folgenden Satz:

Immer wieder stelle ich in meiner Arbeit erfreut fest, dass die Menschen bereit sind, sich aus Überzeugung für das Gemeinwohl zu engagieren und sich in ihrem vielfältigen Engagement mit der Stadt zu identifizieren. [K88]

Auch in diesem Satz ist das gemeinschaftliche Engagement für „das Gemeinwohl" der städtischen Gemeinschaft fundamental und somit für die Identifikation mit der Stadt ausschlaggebend. Wie dieses Beispiel zeigt, kann über die Knotenausdrücke *Identität_sich_identifizieren_mit_etw*, *Stadt* und *Engagement* eine höhere Vernetzung erreicht werden.

Bei der Kodierung soll eine Sinneinheit wenigstens 3 und höchstens 9 Knotenausdrücke enthalten. ZELGER (2002:22ff.) begründet die Festsetzung der oberen Grenze damit, dass die Sätze als kurze Kapitel aufgefasst werden, deren Inhalt man im Bewusstsein für einige Minuten halten kann. Auf der Grundlage der Eigenerfahrung möchte ich hier aber erwähnen, dass es nicht möglich ist, sich immer an diese Regel zu halten. Die obere Grenze wird in wenigen Sinneinheiten von 9 auf 12 ausgedehnt, bei denen es sich um Aufzählungen handelt. Diese Unregelmäßigkeit stellt jedoch bei der Grundkodierung und der Auswertung kein allzu großes Problem dar. Schwerer wiegt eine Unterschreitung der unteren Grenze, weil so eine Sinneinheit nicht mehr vernetzt werden kann. Bei der Grundkodierung wird ein großer Wert darauf gelegt, dass möglichst nahe an der Originalsprache des Textes kodiert wird. Dies erklärt auch, warum für die Beispielsätze [A06] und [K88] die Begriffe *sich_einsetzen_für_jmdn/etw* oder *sich_einbrigen_für_jmdn/etw* unter dem Schlüsselbegriff *Engagement* kodiert wurden: Mehrere Ausdrücke mit gleichem Inhalt können zu einem Ausdruck zusammengefasst werden. So bleibt die Ausdrucksliste transparenter und die Sinneinheiten können miteinander besser vernetzt werden. Bei dieser Art des Zusammenfassens von Ausdrücken soll aber darauf geachtet werden, dass keine zentralen Begriffe eliminiert werden.

Eine weitere Besonderheit liegt in der Kodierung von Synonymen. Betrachtet man oben genannte Beispiele, wird man feststellen, dass 'Bürger' oder 'Mitbürger' und 'Menschen' oder 'Mitmenschen' synonym verwendet sind. Sie können also abwechselnd verwendet werden, ohne dass sich der Inhalt einer Sinneinheit ändert. Um deutlich zu machen, dass es sich inhaltlich um die gleichen Begriffe handelt, wurden beide Ausdrücke für die Bezeichnung des Schlüsselbegriffs verwendet. Ebenso wie Synonyme sollen bei der Kodierung keine Homonyme verwendet werden. Schauen wir uns die folgenden Texteinheiten an:

Eine sehr wichtige Frage ist nach wie vor die Sicherheit der Bürgerinnen und Bürger von Emmerich am Rhein. [D78]

Spricht man in diesen Tagen mit den Menschen, dann sind es zwei große Themen, die sie vor allem bewegen: die wirtschaftliche Zukunft und damit verbunden die Sicherheit der Arbeitsplätze sowie die dauerhaft tragfähige Gestaltung der sozialen Sicherungssysteme in unserem Lande. [K20]

'Sicherheit' wird in den beiden Sinneinheiten mit jeweils unterschiedlicher Grundbedeutung gebraucht: Im ersten Beispiel heißt 'Sicherheit' so viel wie 'Zustand ohne jegliche Gefahr, geborgen sein' und wird positiv als *Sicherheit* kodiert. Im anderen Bespiel wird der Begriff 'Sicherheit' mit 'Angst vor dem Verlust der Arbeitsplätze' konnotiert. In diesem Fall wird 'Sicherheit' als *Angst* negativ kodiert und für Arbeitsplatz wurde *Arbeitsplatzverlust* gewählt.

Die Problematik bei der Zuordnung von Schlüsselausdrücken liegt daran, dass man bei der Kodierung evtl. dazu neigen könnte, zu viele vermeintliche Synonyme unter einem Oberbegriff zu vereinen. Dadurch könnten wesentliche Feinheiten in der Ausdifferenzierung der wichtigen Erkenntnisse verloren gehen. Es lohnt sich daher, bei der Grundkodierung mit großer Sorgfalt zu arbeiten: „[Die] Liste soll so differenziert wie nötig und so übersichtlich wie möglich sein" (ZELGER 2002:35), um bestmöglich mit ihr operieren zu können. Sind alle Sinneinheiten konsistent kodiert, so erhält man als erstes Ergebnis die Ausdrucksliste, die hierarchisch die Häufigkeit der vorkommenden Begriffe präsentiert und den ersten Einblick in die relevanten Inhalte gewährt.

5.1.2. Bewertungskodierung

Um präskriptive Urteile darstellen zu können, ist eine Bewertungskodierung erforderlich. Dabei werden Merkmale, Zustände, Situationen, Handlungen, Prozesse, die von einer untersuchten Person kommen, positiv oder negativ bewertet (vgl. ZELGER 2002:110). Bewertet werden nicht nur gegenwärtige reale Zustände, sondern auch irreale zukünftige Wünsche und Einsichten – unabhängig davon ob diese Phänomene realisierbar sind oder nicht. In der Gabek®-Analyse

haben wir die Möglichkeit, zwei Bewertungslisten anzulegen: einer bestehenden
Ist- und einer nicht bestehenden Sollsituation. Auf den beiden Ebenen erfolgt die
Bewertung in einer Skala von 1 bis 3: positive, negative und 0-Bewertung der
Ist-Situation und positive, negative und 0-Bewertung auf der Soll-Ebene. Alle
Bewertungen bringen zum Ausdruck, was der Zielgruppe insgesamt wichtig er-
scheint. Sie zeigen Werte und Wünsche auf, wobei diesen Werturteile zugeord-
net sind (vgl. ZELGER 2002:110).

Da im Rahmen dieser Untersuchung nicht nur die aktuelle Lage, sondern auch
zukünftige Pläne, Wünsche, Visionen von Bedeutung sind, wird die Bewertungsanalyse über beide Ebenen verlaufen. So etwa ein folgender Beispielsatz:

Dazu müssen wir aber das Miteinander suchen und nicht dem kleinteiligen Egoismus und dem Gegeneinander
verfallen. Wir haben die Chancen in dieser Stadt und sollten sie gemeinsam nutzen. Ich danke Ihnen für Ihren ehrenamtlichen Einsatz für die Menschen in unserer Stadt. [L 37]

Der obige Beispieltext bezieht sich auf die real angenommene Ist-Situation.
Schlüsselbegriffe *Gemeinsam_Miteinander*, *wir*, *Chancen*, *Engagement_ ehrenamtliches und Stadt_unsere* werden als positiv und *Egoismus* wie *Gegeneinander* negativ kodiert. Der Autor des Textes urteilt explizit positiv über die Werte
wie *Miteinander* und *ehrenamtliches Engagement* und negativ über *Egoismus*
und *Gegeneinander*. *Chancen* sind von ihm eher impliziert positiv bewertet, da
es sich hier nur um einen Oberbegriff handelt für die von dem Sprecher genannten Formen des gesellschaftlichen Handelns, das für die *Stadt_unsere* einen großen Nutzen bringt. An diesem Beispiel sieht man aber, dass man die Bewertungskodierung weit oder eng handhaben kann (ZELGER 2002:115): Bei einer
engen Interpretation würde man nur die explizite Bewertung kodieren. Bei einer
weiteren Interpretation dagegen kann auch diese Bewertung kodiert werden, vorausgesetzt man berücksichtigt ev. die Frage, ob der Autor des Textes mit dieser
Kodierung einverstanden sei.

Investition in die Zukunft der Stadt heißt auch, nicht nur ein ausreichendes Bildungsangebot aufzustellen, sondern auch dafür zu sorgen, heranwachsende Jugendliche für den weiteren Ausbildungsweg und auf den zukünftigen Arbeitsmarkt vorzubereiten. [K46]

Hier wird implizit über die zukünftig wichtigen Ziele geurteilt. Diese Bewertung
bezieht sich eindeutig auf die zweite Kodierungsebene der nicht bestehenden
Soll-Situation. Bewertete Merkmale werden hier mit einem „+" versehen, wie
Investitionen_investieren_in_etw, *Bildung*, *Jugend_Menschen_junge*, *Ausbil-*

dung und *Arbeitsmarkt.* Dieses Beispiel macht deutlich, dass bei dieser Art von Kodierung auch Probleme entstehen können, weil es aus dem Kontext nicht ersichtlich ist, ob ein Merkmal vom Autor bewertet wird oder nicht.

Der folgende Satz präsentiert die „0"-Kodierung. Dabei handelt es sich um eine Kodierung von Gewichtungen, die weder mit positiven noch mir negativen Bewertungen markiert werden können:

Die Auswirkungen von demografischem Wandel und Globalisierung des Arbeitsmarktes erfordern Anpassungen der sozialen Sicherungssysteme. [L03]

Schlüsselbegriffe *demographischer_Wandel, Globalisierung, Arbeitsmarkt* und *Soziales* werden als „0" bewertet. *Globalisierung* bringt positive und/oder negative Entwicklungen mit sich, und *demographischer_Wandel* oder die Entwicklungen auf dem *Arbeitsmarkt* und im Bereich des *Soziales* sind nur einige der möglichen Folgen, was aber nicht bedeutet, dass sie negativ sind. Das Verhältnis der positiven zu den negativen Bewertungen in der gesamten Datenbasis ist ein sehr zuverlässiger Indikator für die Beurteilung der Gesamtsituation der Städte und Gemeinden aus der Sicht der Bürgermeister.

5.1.3. Kausalkodierung

Aussagen bringen nicht nur Beschreibungen und Bewertungen zum Ausdruck, sondern auch kausale Annahmen. Es handelt sich dabei um „Meinungen über Wirkungszusammenhänge, die sich oft durch empirische Erfahrungen über längere Zeit entwickelt haben oder auch durch vielfältige Gespräche mit anderen Personen" (ZELGER 2002:140). Kausalannahmen können als Argumente einer Handlung und daraus resultierende Steuerung für jede weitere Handlung verstanden werden. Wie bei der Bewertungskodierung kommt es bei der Kausalkodierung auf die richtige Fragestellung an. In Anbetracht der unterschiedlichen Kausalzusammenhänge, kann man meistens eine Frage folgender Art stellen: *„Glaubt der Autor des Textes, dass eine Veränderung eines Merkmals, Zustands, Prozesses A ein Grund dafür ist, dass der Zustand, das Merkmal oder der Prozess B zustande kommt, sich verstärkt oder sich verbessert?"* (ebd.:144; kursive Hervorhebung nach Autor). Für die vorliegende Untersuchung beinhalten Kausalannahmen Wirkungszusammenhänge von zentralen Verhaltens-, Entscheidungs- und Handlungsprozessen im städtischen Geschehen, die uns erlauben, von der Ursache auf die Wirkung zu schließen.

In der Grundkodierung wird unterschieden zwischen günstigen und ungünstigen Kausaleinflüssen (vgl. ZELGER 2002:143): Die Beziehung zwischen günstigen Kausalvariablen wird rot und zwischen ungünstigen grün markiert. Erscheint dagegen der vermutete Einfluss sowohl günstig wie auch ungünstig, wird er schwarz markiert.

Wären doch alle Kinder und Jugendlichen in unserer Gemeinde und in unserem Land in einem Verein aktiv tätig und gefördert - es gäbe entschieden weniger sinnlose Gewalt und Vandalismus. [A08]

Dieser Beispielsatz kann also folgendermaßen kodiert werden:

	Ausdruck	A	B	C	D	E	F	G	H
A	Kinder								
B	Jugend_Menschen_junge								
C	Gemeinde_Kommune								
D	Vereinstätigkeit					–	–		
E	Gewalt								
F	Vandalismus								
G	Land_unseres								
H	Förderung_fördern etw/jmdn								

Tabelle 1:   Kausalkodierung (Beispielsatz [A08]).

Diese Kodierung stellt eine irreale Ursache-Wirkung-Beziehung dar: Wären Kinder und Jugendliche mehr in Vereinen tätig, gäbe es weniger (positives grünes Minus) Vandalismus und Gewalt. Bei der Kausalkodierung wird unterschieden zwischen Wachstum (+) und Abnehmen (−) der beeinflussenden Variablen.

5.2. Darstellung verbaler Daten durch Gabek®

5.2.1. Relevanzliste

Nach dem Abschluss der Grundkodierung kann die Datenbasis ausgewertet werden. In erster Linie geschieht dies anhand der Relevanzliste. Es ist eine Liste von Schlüsselbegriffen, die im Rahmen der untersuchten Thematik als besonders relevant identifiziert wurden. Mit Hilfe der Relevanzliste können die wichtigsten nach der Häufigkeit ihres Vorkommens hierarchisch geordneten Themen abgerufen werden. Diese Inhalte sind nichts anderes als die uns bekannten Schlüsselbegriffe. Kommen diese besonders häufig vor, sind sie relevanter und werden häufiger mit anderen Knotenausdrücken verknüpft. Die Relevanzliste dient dieser Arbeit als Grundbasis für die Identifizierung von relevanten Inhalten in den Neujahrsreden zum einen und für die Konstruktion raumbezogener Identitäten zum anderen.

5.2.2. Assoziationsgraphen

Für Assoziationsgraphen (auch Netzwerkgraphen genannt) ist eine konsistente Ausdrucksliste vorausgesetzt. Ein durch das WinRelan®-Programm automatisch generierter Assoziationsgraph „zeigt alle Begriffe auf, mit denen im kodierten Textmaterial ein beliebig ausgewählter Begriff verbunden ist, und gibt alle Sätze an, in denen diese Verbindungen vorkommen" (ZELGER 2002:57). Er zeigt auch an, mit welchen weiteren Begriffen der ausgewählte Schlüsselbegriff assoziiert wird. Der Komplexitätsgrad eines solchen Netzes kann am PC durch die Auswahl eines entsprechenden Menüs eingestellt werden.

Die Besonderheit des Assoziationsgraphen für diese Arbeit liegt darin, dass dieser die in der Datenbasis häufig vorkommenden Begriffe zusammenstellt und somit einen Überblick über die komplexen Vernetzungen relevanter Inhalte bietet. Desweiteren macht er möglich, durch die Fokussierung auf einzelne Inhalte das gesamte Umfeld eines Themas zu betrachten. In Kombination mit den erfolgten Bewertungen stellen Assoziationsgrafen „Problemfelder und Erfolgsgebiete" dar (vgl. ZELGER 2003:1), hier mit den Augen der Bürgermeister.

5.2.3. Kausalgraphen

Während bei den Assoziationsgraphen keine direkten inhaltlichen Zusammenhänge zwischen den einzelnen Schlüsselbegriffen dargestellt werden, zeigen Kausalgraphen Beziehungen zwischen Ursachen- und Wirkungsvermutungen in den Aussagen der untersuchten Personen. Sie machen es möglich, von der Handlungsursache auf das Handlungsergebnis zu schließen und erlauben, in

Entscheidungsprozessen eine Argumentationsbasis zu bilden. Die Grundlage für die Erstellung von Kausalgraphen ist die unter 5.1.3 erklärte Kausalkodierung.

Durch die Verwendung des Wirkungsgefüges können im Rahmen dieser Untersuchung positive und negative Wirkungen von möglichen Maßnahmen, Entscheidungen, Handlungen oder Entwicklungen in der Gegenwart und Zukunft transparenter dargestellt und analysiert werden. Ferner bieten sie die Möglichkeit, Erfahrungen der Bürgermeister, die in speziellen Situationen gemacht wurden, „für andere Situationen zur Orientierung zu nutzen" (ZELGER 2002:150). Hierzu wurde die allgemeine Devise der Nichtkodierung von negierten Begriffen angewendet (vgl. ebd.:153), um möglichst ein einheitliches Wissensnetz zu bilden, das für viele vergleichbare Situationen anwendbar sein könnte. Dabei ist festzuhalten, dass es innerhalb der verbalen Datenbasis viel seltener zu konkreten Aussagen über bestimmte Zusammenhänge kommt, als zu weniger konkreten bzw. indirekten Annahmen. Hier war es wichtig, die Annahmen zu lokalisieren und im untersuchten Kontext zu betrachten.

5.2.4. Gestaltenbaum

Nach ZELGER (vgl. 2007:7) ist der Gestaltenbaum eine hierarchisch gebildete Ordnung, die „eine logisch-systematische Übersicht über die ganze verbale Datenbasis" bietet. Seine Grundeinheit bilden „sprachliche Gestalten". Dabei handelt es sich um „Textgruppen von drei bis neun Sätzen, die über gemeinsame Schlüsselausdrücke eng zusammenhängen, wobei sich diese Sätze voneinander deutlich unterscheiden" (ZELGER 1999: 54). Sprachliche Gestalten sind inhaltlich konsistent zusammenhängende Gruppen von Texteinheiten der unteren Ebenen, die zu sinnvollen und widerspruchsfreien Schwerpunkten der nächstliegenden oberen Ebene zusammengefasst werden. Auf diese Weise wird eine Hierarchie von Inhalten gebildet, die von authentischen verbalen Daten des Untersuchungsgegenstandes zu sprachlichen Gestalten, zusammenfassenden Hypergestalten, Hyperhypergestalten „bis hin zu einer obersten Zusammenfassung aufsteigt und damit stufenweise die Komplexität reduziert" (vgl. SCHOBER

2008:134). Der Gestaltenbaum[31] ist eine deduktiv aufgebaute Konstruktion, die es möglich macht, die obere Ebene durch die nächstliegende untere Ebene zu argumentieren – außer der Ebene1, d.h. der Ebene der Originalaussagen. Er stellt über den Bereich der präsentierten Datenbasis die wichtigsten Inhalte einer Untersuchung dar. Außerdem bietet der Gestaltenbaum die erste Gewichtung der Ergebnisse: Übergeordnete Inhalte (Ebenen 5 oder 4) sind relevanter als die darauffolgenden (Ebenen 3 oder 2) (vgl. SCHOBER 2008:135). Texte der höheren Ebenen sind komprimiert, inhaltsarm und eigenen sich besonders zur Gewinnung von Übersichtsinformationen. Möchte man detaillierte Inhalte betrachten, sollte die erste Ebene berücksichtigt werden.

Die Relevanz des Gestaltenbaumes für die vorliegende Arbeit liegt zum einem darin, weil auf diese Weise die wichtigsten Inhalte der Untersuchung transparent und verständlich präsentiert werden können. Zum anderen ermöglicht der Gestaltenbaum eine gute Orientierung in der Komplexität der Inhalte. Außerdem bietet er gute Anordnungsmöglichkeit der Grund- und Oberwerte, die wiederum zur Formulierung eines Leitbildes nützlich sein können.

6. Ergebnisse der empirischen Analyse

Die Analyse des Textkorpus mit den dafür vorgesehen und bereits vorgestellten Gabek®-Analyseinstrumenten ergab ein komplexes komplementäres Ausdrucksnetz mit unterschiedlichen Verbindungen. Für diese Untersuchung sollen nur solche thematischen Verbindungen bzw. Zusammenhänge ausgewertet werden, deren Relevanz im Vergleich zu anderen Themen – identifiziert durch Schlüsselbegriffe und ihre Verbindungen – ersichtlich hoch ist. Wie aus dem individuellen Wissen der Bürgermeister mittels der relevanten Schlüsselbegriffe die geteilten raumgebundenen gegenwarts- und zukunftsbezogenen Vorstellungen ermittelt werden, die u.a. die Datenbasis für die Erschließung von raumbezogenen Identitätsvorstellungen bilden, soll im Folgenden dargestellt werden.

---

[31] Da die Konstruktion von Gestaltenbäumen ein sehr aufwändiger Prozess ist, wurden an dieser Stelle nur die für diese Untersuchung relevanten theoretischen Ansätze zusammengefasst dargestellt. Eine umfangsreiche theoretische und praktische Basis zur Bildung von Gestaltenbäumen bietet ZELGER 2007.

Im ersten Schritt werden die wichtigsten Schlüsselbegriffe mit Hilfe der Relevanzliste[32] präsentiert und direkt im Anschluss selektiv auf assoziative Verbindungen und Netze untersucht. Darauf folgt die Bewertungsanalyse der Ist- und Soll-Situation. Der Analyse von Ursache-Wirkung-Beziehungen folgt im letzten Schritt der Hauptuntersuchung die Darstellung und Analyse des Gestaltenbaums. Die Ergebnisse der Emotions- und Metaphernanalyse bilden systematisch nur ein Nebenstrang zu der Hauptuntersuchung. Für ihre Zwecke wurde Gabek®/WinRelan® lediglich als Indizierungsmethode verwendet, wobei die Kriterienliste die Basis des Indizierungssystems bildete. Sinneinheiten, welche Emotionsausdrücke und Metaphern enthalten, wurden auf diese Weise erfasst und anschließend inhaltbezogen manuell ausgewertet. Dank der Emotionsanalyse sollen negative und positive Handlungsenergien gefunden und dank der Metaphernanalyse die Wahrnehmungsperspektiven der Wirklichkeit sprachlich erfasst werden. Abschließend wird die operationalisierte Definition von raumbezogenen Identitäten aufgestellt.

6.1. Ergebnisse der WinRelan®-Untersuchung

6.1.1. Relevanzliste und Assoziationsgraphen

Nach der Durchführung der Grund- sowie der Bewertungs- und Kausalkodierung wurde mit der Software WinRelan® automatisch eine Liste der wichtigsten Schlüsselausdrücke erstellt, die in der folgenden Tabelle präsentiert werden. Die Relevanzzahl ergibt sich aus folgenden Kriterien: a) der Höhe eines Schlüsselbegriffes im Gestaltenbaum, d.h., Schlüsselbegriffe, die auch in Zusammenfassungen vorkommen, signalisieren eine höhere Wichtigkeit des Themas als Schlüsselbegriffe, die auf unteren Ebenen bzw. der Ebene der Satzeinheiten vorkommen; b) je häufiger ein Schlüsselbegriff bewertet wird, d.h. positiv oder negativ auf Ist- und/oder Soll-Zustand eingesetzt wird; c) die Zahl der Schlüsselbegriffe, die in Kausalrelationen eingebettet sind.

---

[32] In allen nachfolgend präsentierten Ergebnissen wird die originale Schreibweise wiedergegeben.

Anhand dieser Liste lassen sich zentrale Themen der Neujahrsreden identifizieren, in denen sich die textsortenspezifischen Auseinandersetzungen[33] der Bürgermeister mit sozialen, politischen, wirtschaftlichen, kulturellen sowie ökologischen Entwicklungen in den rheinischen Städten und Gemeinden brennglasartig widerspiegeln.

Gestalt	Ausdruck/ Schlüsselbegriff	Rele- vanz	Bewertungs- liste 1			Bewertungs- liste 2			Bewer- tungen.	Kausalliste		
Ebene		Zahl	+	–	o	+	–	o	Summe	–›o	o–›	Summe
ZUS	Gemeinsam_Miteinander	77	38			33			71	10	20	30
ZUS	Zukunft	75	32			4			36	55		55
ZUS	Engagement	72	39			20			59		33	33
ZUS	Investitionen	70	18			26	1		45	9	33	42
ZUS	Stadt_unsere	56	1			2			13	51		51
ZUS	Kooperation_Zusammenarbeit	55	20			14			34	3	31	34
ZUS	Ehrenamt	49	34			8			42	2	19	21
ZUS	Haushalt	44	11	12	1	3	3		30	19	6	25
ZUS	Kommunikation_Dialog	43	11	1		14			26	5	22	27
ZUS	Wirtschaft	35	4	2	1	10			17	18	7	25
ZUS	Arbeitsplätze	34	7			20			27	12	5	17
ZUS	Entwicklung	33	2	1		11			14	23	3	26
ZUS	Solidarität_Zusammenhalt	33	12			12			24	6	12	18
ZUS	Förderung_fördern_etw/jmdn	32	10			10			20	5	15	20
ZUS	Gemeinde_Kommune	31	2			1			3	32		32
ZUS	Entscheidungen	30	6			14			20	8	10	18
ZUS	Finanzen	30	3	13	1	4	2		23	11	4	15
ZUS	Lebensqualität	28	13			11			24	10	2	12
ZUS	Handeln_Tun	26	15			14			29	4	2	6
ZUS	Betreuung_Kinder/Jugend	24	10	1		12			23	3	6	9
ZUS	demographischer_Wandel	24		14			3		17		13	13
ZUS	Familien	24	7			11			18	11	1	12

---

[33]   Textsortenspezifisch meint, dass auch die Textsorte Neujahrsrede die spezifische Auswahl und Perspektivierung des Themas beeinflusst.

ZUS	Hoffnung_Zuversicht	24	16		5		21	2	8	10
ZUS	Sport	24	8		6		14	6	10	16
ZUS	Stadt	23	1				1	24		24
ZUS	Bildungswesen	22	4		16		20	8	1	9
ZUS	BürgerInnen_Mitmenschen	22	9		4		13	10	4	14
ZUS	Kultur	21	8		6		14	8	4	12
ZUS	Schulwesen	21	9		6		15	7	4	11
ZUS	Verantwortung	21	14		10		24		5	5
ZUS	Integration	20	3		8		11	8	6	14
ZUS	Soziales	20		1	9		10	8	6	14
ZUS	Chancengleichheit	19	1		8		9	3	11	14
ZUS	Kinder	19	5		13		18	6	1	7
ZUS	Infrastruktur	18	4		8		12	8	3	11
ZUS	Modernisierung	17	5		6		11	2	8	10
ZUS	Mut_Wagnis	17	5		12		17		5	5
ZUS	Arbeit_arbeiten_an_etw	16	5		5		10	6	4	10
ZUS	Arbeitslosigkeit_-/+	16	7	2	1	1	11	5	4	9
ZUS	Förderung_aus_KPII	15	9				9	1	9	10
ZUS	Optimismus	15	6		6		12	4	3	7
ZUS	Projekte	15	5		4		9	6	3	9

Tabelle 2:   Relevanzliste bis inklusive Relevanzzahl 15.

Die oben abgebildete Tabelle, die die relevanten Schlüsselbegriffe bis ein-
schließlich der Relevanzzahl 15 (bei einer Gesamtzahl von 1562 Schlüsselbegriffen) präsentiert, ist nur ein Teil der mit WinRelan® erstellten Relevanzliste.
Ihre wichtigsten Themen werden im Folgenden vorgestellt und analysiert. Die
Auswahl erfolgte nach dem Gesichtspunkt ihrer Zentralität und Aktualität im öffentlichen Diskurs (z.B. *Integration)* zum einem, ihrer Spezifität im Rahmen des
kommunalen Diskurses (z.B. bürgerschaftliches *Engagement)* zum anderen und
nach ihrer Bedeutung im Kontext der kollektiven Identifikationsprozesse (z.B.
Gemeinsam_Miteinander) zuletzt.

(1)   Betrachtung der wichtigsten Schlüsselbegriffe der Relevanzliste

Knotenausdrücke *Gemeinsam_Miteinander, Zukunft, Engagement, Investitionen, Stadt* und *Stadt_unsere* bilden mit Abstand die wichtigsten Themen der Neujahrsreden. Der hochfrequente Schlüsselbegriff *Stadt* und *Stadt_unsere* (mit der Gesamtzahl 78) liegt, wird deutlich, dass hier ein starkes städtisches Bewusstsein zum Ausdruck kommt, indem „Stadt" und nicht etwa „Region" (z.B. Niederrhein) oder „Stadtviertel" (z.B. Kalkar-*Grieth*) oder „Deutschland" als der zentrale Orientierungspunkt für Identifikationsprozesse fungiert. Andere überführte Schlüsselbegriffe markieren weitere inhaltlichen Schwerpunkte der Aktivitäten der Verwaltung und der Gemeinschaft.

Gruppiert man die Schlüsselbegriffe der Relevanzliste nach Themen, so kann zwischen folgenden Begriffsfeldern unterschieden werden:

Begriffsfeld	Ausdruck/Schlüsselbegriff
Identifikationsbegriff:	*Stadt_unsere*
Wertbegriffe:	*Gemeinsam_Miteinander*
	Solidarität_Zusammenhalt
Zielbegriffe:	*Zukunft*
	Entwicklung
Instrumentelle Begriffe:	*Engagement*
	Kooperation_Zusammenarbeit
	Kommunikation_Dialog
	Investitionen
	Ehrenamt
	Förderung_fördern_etw./jmdn.
Bereichsbegriffe:	*Haushalt*
	Wirtschaft
	Arbeitsplätze
	Soziales

Tabelle 3:   **Zuordnung der relevanten Schlüsselbegriffe nach zentralen Inhalten.**

Nun betrachten wir die zentralen Schlüsselbegriffe nach ihrer inhaltlichen Bedeutung:

Identifikationsbegriff:

Stadt_unsere

Unter dem Schlüsselbegriff *Stadt_unsere/Stadt* wurden ursprünglich alle expliziten Erwähnungen des Begriffes 'Stadt' im Sinne von einer verwaltungsmäßig, wirtschaftlich und kulturell selbstständiger Einheit kodiert, die einen Mittelpunkt eines Gebietes darstellt und sich auf der regionalen und überregionalen Ebene zu positionieren versucht, z.B.: „Die Stadt ist nach wie vor am Erwerb des ehemaligen Bundeswehrgeländes interessiert" [D25].

Im Rahmen der Kodierung wurden folgende Subbedeutungen erfasst: erstens *Stadt* als wirtschaftliche und ökonomische Einheit und zweitens *Stadt_unsere* als soziales Gefüge, in welcher der Aspekt der Gemeinschaftlichkeit Oberhand nimmt. Bei dem unabhängig kodierten Schlüsselbegriff *Stadt_unsere* liegt die Betonung auf dem Personalpronomen *unser*, was auf eine emotionale Bindung hinweist (mehr dazu im Kontext der Emotionsanalyse, s. Abschnitt 6.2.1.).

Wertbegriffe:

Gemeinsam_Miteinander

Gemeinsam_Miteinander bezieht sich ausdrücklich auf die Modalität des gemeinschaftlichen Handelns. Die gemeinsamen Aktionen erscheinen als wichtiger Blickwinkel, aus dem heraus kollektive Identität betrachtet wird. Es liegt die Vermutung nahe, dass städtische Gemeinschaft über die gemeinschaftliche Aktion von zumeist individuellen Akteuren definiert wird und nicht etwa über konzertierte Aktionen von Verbänden. Auch wenn die Aktionen aus dem privaten Bereich hervorgehen, wird bevorzugt, „gemeinsam mit der Stadt Straelen und vielen Partnern" [E93], oder „gemeinsam mit dem Seniorenrat" [E67] zu agieren. Auch in der Wirtschaft wie Politik kommt es auf „die Bereitschaft zu gemeinsamem Handeln, um unsere Probleme anzupacken", an [G49]. Somit wird ersichtlich, dass es heute in der multipluralen Gesellschaft „auf das Miteinander ankommt, auf das Zusammenleben von Menschen unterschiedlicher Herkunft, unterschiedlicher Talente und unterschiedlicher Generationen" [F26].

Solidarität_Zusammenhalt

Der nächste Wertbegriff *Solidarität_Zusammenhalt* bezeichnet hier das Prinzip der sozialen Haltung, das auf Zusammengehörigkeit und gegen Vereinzelung oder Eigen- und Gruppenegoismen ausgerichtet ist. Was zählt, ist die (Mit)Verantwortung und die (Mit)Verpflichtung der BürgerInnen bei der Unterstützung von Aktivitäten, Zielen und Ideen anderer. Solidarität ist ein „Gefüge", das die Gemeinschaft zusammenhält [F11] oder „fester Bestandteil unseres sozialen Lebens" [M11], welcher „manches bewirken kann" [F41]. Denn eine Gesellschaft ist alles andere als nur ein Wirtschaftsunternehmen: „Ihr Zusammenhalt speist sich (…) aus Solidarität und Mitmenschlichkeit" [G48].

Die Wertbegriffe zeigen deutlich, dass nicht die Geschichte, sondern *Gemeinsam_Miteinander* sowie *Solidarität_Zusammenhalt* explizit als treibende Kräfte genannt werden, mithilfe deren gegenwärtige Lage wie auch zukünftige Probleme bewältigt werden können. Somit kann angenommen werden, dass Zukunft nicht aus der gemeinsamen Geschichte heraus, sondern auf der Grundlage von gemeinschaftlichen Aktivitäten gestaltet werden kann und auf Solidarität basierend der Realisierung gemeinsamer Interessen dienen. Tradition und Brauchtum mit 23 direkten Erwähnungen können in diesem Zusammenhang als wichtige Identifikationsfaktoren für Bürger der kommunalen interpretiert werden, wie es die folgenden Beispiele belegen: Achtung der traditionellen Werte [F12], Traditionsunternehmen [G22], Bräuche des Neujahrsempfangs [G68], oder „Stadt mit alten Traditionen [K91].

Zielbegriffe:

Zukunft und Entwicklung

Der Schlüsselbegriff *Zukunft* mit der Belegzahl 75 steht auf der zweiten Stelle der Liste mit den relevanten Ausdrücken. Seine hohe Positionierung ist nicht nur ein Hinweis darauf, dass es ein zentrales Thema der Neujahrsreden ist, sondern es kann auch als eine Zeitperspektive betrachtet werden, in welcher jeder Bürgermeister jeweils seine Stadt als *Stadt* in *Entwicklung* betrachtet.

Auf der Zeitebene, wird das thematisiert, was unproblematisch ist, wie auch das, was problematisch werden kann, z. B.: „Der Schienenweg wird uns leider auch in der nächsten Zukunft weiterhin keine Freude bereiten" [D16], oder was abgewendet werden soll: „Wir wollen und werden verhindern, dass ganze Be-völkerungsteile und Stadtviertel absacken" [H41]. Insofern entpuppt sich Zu-kunft nicht als durch und durch organisiertes Ganzes, sondern sie bringt bedroh-liche Perspektiven mit sich. Um mögliche Fehlentwicklungen zu vermeiden, ist den Bürgermeistern wichtig, die Entwicklung wichtiger Bereiche zu steuern und voranzutreiben, wie z.b. „Entwicklung von altersgerechtem Wohnraum" [L79], die Entwicklung guter und verlässlicher Betreuungsangebote für Kinder [M40], oder die Entwicklung eines neuen Stadtteils [E48] wie auch die Verbesserung des Bildungsangebotes [H71] etc. Anhand der Beispiele wird deutlich, dass Zu-kunft und Entwicklung Hand in Hand gehen. Entwicklungen garantieren, dass die Zukunft gelingt.

Instrumentelle Begriffe:

Engagement

Engagement ist ein Sammelbegriff für unterschiedliche Aktivitäten des persönli-chen Einsatzes der BürgerInnen am gemeinschaftlichen Leben sowohl im beruf-lichen wie auch im privaten Bereich, wie z. „in den caritativen Organisationen, in Vereinen, in der Nachbarschaft, im Kultur- und Sportsponsoring" [E88], in al-len Institutionen, „die in dieser Stadt Verantwortung tragen" [H89]. Kurzum, wichtig ist „viel Engagement in unserer schönen Stadt (...)"[E86], da im bürger-schaftlichen Engagement „die Kraft der Erneuerung liegt" [K81].Wert wird da-rauf gelegt, dass Mitbürger Verantwortung übernehmen, sich für gemeinsame Ziele einsetzen, denn „diese Menschen bringen unsere Gesellschaft voran. Sie machen [die Stadt] wärmer und freundlicher" [F13].

Verantwortungsbewusstsein und Mitwirkungsbereitschaft scheinen trotz der Anonymisierung der Gesellschaft immer noch wichtige Bestandteile einer har-monisch funktionierenden Gesellschaft zu sein. Starkes Engagement geht nicht ganz ohne Gefühle, welche die Bindung mit der Gemeinschaft potenzieren, aber nähere Erläuterungen hierzu folgen im Kontext der Emotionsanalyse.

Ehrenamt

Auch der Knotenbegriff *Ehrenamt* fällt in die Kategorie der instrumentellen Be-griffe. Mit diesem Begriff bezeichnet man jegliche Formen des uneigennützigen Handelns, das in „unsere[r] Stadt eine große Tradition hat" [I39]. Seine Grundidee orientiert sich nach Werten, die „in der Weihnachtsbotschaft formuliert sind" [G 50], wobei ihre Verwirklichung auf den Wohl der Gemeinschaft ausgerichtet wird. Dass Ehrenamt eine hochangesehene und gewürdigte Lebenseinstellung ist, verdeutlichen folgende Belege: „Ehrenamtliches Engagement konnte auch in diesem Jahr erneut mit der Ehrenplakette der Stadt Kalkar gewürdigt werden"[F87]. Da Stadt oder Gemeinde „ohne ehrenamtliches Engagement" nicht funktioniere [F07] und „[wir] ohne Sie, meine Damen und Herren Ehrenamtliche, in vielen Bereichen um einiges ärmer" [D32] wären, ist es wichtig, dass „dies Ansporn für viele Personen sein wird, sich ebenfalls im Ehrenamt für das Gemeinwohl einzusetzen, so dass zukünftig noch viele weitere Ehrenamtskarten verliehen werden können" [K84].

Kooperation_Zusammenarbeit

Kooperation_Zusammenarbeit belegt mit der Gesamtzahl 55 den sechsten Platz der Relevanzliste. Dieser Schlüsselbegriff bezeichnet die auf Gegenseitigkeit und Kompromissbereitschaft beruhenden Formen gemeinsamen Handelns, das allen Beteiligten Mehrnutzen bringen soll. Den Bürgermeistern zufolge kommt es in Kommunen auf „eine durchgängig gute Zusammenarbeit" [E75], „eine vorbildliche Kooperation" [A05], „eine Zusammenarbeit über die Grenzen der Parteien und Gemeinschaften hinweg" [F32]. Gemeinsame Aktivitäten, wie Zukunftswerkstätte, Diskussionsrunden, Unternehmertreffen, Kooperationen zwischen Schulen, Zusammenarbeit von Ärzten und Gesundheitszentren sind nur einige der möglichen Arten der gemeinschaftlichen Wirkung. Diese sind enorm wichtig, denn: „Ein solcher Prozess kann viele Kräfte freisetzen und die Identifikation der Bürgerinnen und Bürger mit ihrer Ortschaft und mit ihrer Stadt stärken" [E75]. *Kooperation_Zusammenarbeit* von Rat, Verwaltung und Bürgern stellt sich heraus als eine bewährte Lösung bei Bewältigung von täglichen Aufgaben, „(…) denn nur so können gute Ergebnisse zum Wohl unserer Stadt und der darin lebenden Bürgerinnen und Bürger auf den Weg gebracht werden" [E32].

Kommunikation_Dialog

Mit *Kommunikation_Dialog* (in der Relevanzliste mit der Gesamtzahl 33 auf Platz neu zu finden) bezeichnet man ein Instrument täglichen Gebrauchs, über welches Handlungen, Entscheidungen und Prozesse zustande kommen, Probleme gelöst und Hindernisse überwunden werden können. Kommunikation in der kommunalen Praxis nimmt Formen persönlicher Unterhaltung, „knallharter" Diskussionen, Gespräche von Interessengruppen am „Runden Tisch", Expertenrunden oder offener Podiumsdiskussionen an. Auch Dialog zwischen Generationen, Kulturen oder unterschiedlichen Berufsgruppen will gepflegt werden. Dabei Meinungsverschiedenheiten abzubauen oder Konflikte auszuloten, ist wichtig, damit „(…) das Zusammenleben von Menschen unterschiedlicher Herkunft, unterschiedlicher Talente und unterschiedlicher Generationen funktioniert" [E90]. Förderung von transparenter und zielorientier Kommunikation liegt den Bürgermeistern am Herzen: „Auch unser Neujahrsempfang hat ein solches Förderziel – nur will er nicht Kohle, sondern Kommunikation fördern. Sein Erfolg misst sich nicht in Tonnen, sondern in Kontakten und kurzen Wegen, die hier entstehen"[A92]. Denn in konstruktiven Gesprächen kann im Zusammenspiel aller Beteiligten „nach guten Lösungen für unsere Stadt" gesucht werden [K74].

Investitionen und Förderung_fördern_etw/jmdn
Der Schlüsselbegriff *Investitionen* umfasst finanzielle Zuwendungen für Entwicklung und Pflege gesamter kommunaler Infrastruktur. In den meisten Fällen handelt es sich um *Investitionen* aus städtischen Haushalten, z.B. zur Substanzerhaltung öffentlicher Bauten, Modernisierung von Straßen, Kindertageseinrichtungen oder Schulen. Genannt werden auch finanzielle Fördermittel, die vom Land NRW oder Bund kommen (z.B.: *Förderung_aus_KPII[34]* kam 15 mal vor), aus welchen größere Maßnahmen durchgeführt werden, z.B. Bau von Schulen, Kindergärten, neuen Verkehrsanbindungen, Parkanlagen, etc. Auch private Investoren, wie beispielsweise Unternehmen *Rheinfels_Quelle, Sinalco, Rewe-Gruppe, Konica Minolta* sorgen mit Investitionen um neue Arbeitsplätze. Der Begriff *Förderung_fördern_etw/jmdn* beinhaltet neben finanziellen Zuwendungen zusätzlich auch begleitende Aktivitäten, die der Verbesserung des Frei-

---

[34]   KP steht für das Konjunkturpaket II, eine finanzielle Unterstützung an die Kommunen und Gemeinden aus den Geldern des Bundes. Da die Gabek®-Grundkodierung nur eine Kodierung von 32 Zeichen zulässt, wurde dieser Begriff wie auch viele andere verkürzt kodiert.

zeitangebotes für Kinder und Jugend oder der Förderung von Nachwuchstalen-
ten dienen. Da Investitionen als Antriebsmotor der Wirtschaft gelten, ist es für
die Gemeinden wichtig, „trotz schwierig gewordener Gesamtsituation daran
fest[zu]halten, die Investitionen nicht zu reduzieren" [E81].

Bereichsbegriffe:

Haushalt

Haushalt mit der Gesamtzahl 44 steht auf der achten Stelle der Relevanzliste.
Unter diesem Schlüsselbegriff wurden alle Erwähnungen über Einnahmen und
Ausgaben sowie über die Lage der städtischen Haushalte zusammengeführt.
Auch dieser heiklen Themenpalette rum und Finanzen widmen Bürgermeister
erstaunlich viel Aufmerksamkeit, betrachtet man die festliche Atmosphäre des
Neujahrsempfangs. Es scheint, dass nichts verschwiegen wird. Es ist die Rede
genauso von den guten Finanzrücklagen wie von „fehlenden Millionen" im städ-
tischen Haushalt [D55] oder einer weiterhin schwierigen Lage der öffentlichen
Haushalte, deren „entscheidende Entlastung" noch nicht zu verzeichnen sei
[F31].

Wirtschaft und Arbeitsplätze

Beide Bereiche folgen in der Relevanzliste aufeinander: *Wirtschaft* bekam 35
und *Arbeitsplätze* 34 Punkte, was auf die fast gleiche Relevanz beider Sektoren
hindeutet. Bürgermeister sprechen oft von einer florierenden „heimischen Wirtschaft" [F20], deren „spürbare gesamtwirtschaftliche Belebung mit einer deutlich positiven Tendenz auf dem Arbeitsmarkt" [F31] in Verbindung gebracht
wurde. Andererseits war auch die Rede von einer Wirtschaftsflaute, deren Ende
nicht in Sicht ist. Arbeitsplätze in solcher Zeit zu sichern, scheint eine große
Herausforderung zu sein. Arbeitsplatzverlust ist ein „schmerzlicher Einschnitt
mit weitreichenden Konsequenzen für die Wirtschaftskraft unserer Stadt und
insbesondere für die betroffenen Beschäftigten" [G23]. Weltweite Wirtschaftskrise und regionale Wirtschaftsflaute schwächen die Wirtschaft, die sich in einem „permanenten Anpassungsprozess" befinde [H61].

Soziales

Der Bereich *Soziales* belegt mit der Relevanzzahl 20 einen der mittleren Plätze der dargestellten Liste. Insofern ist dieser Bereich quantitativ vielleicht nicht so relevant wie *Engagement* oder *Haushalt*. Nichtsdestotrotz bildet *Soziales* ein wichtiger Sektor des städtischen Handels. Weil die „Sicherung des sozialen Friedens" [L05] „unverzichtbar" für eine demokratische und „zukunftssichere Stadt" ist [K90], wird *Soziales* in seinen gesamten facettenreichen Unterbereichen mit besonderem Nachdruck behandelt. Dennoch gewinnt man den Anschein, dass Städte und Kommunen mit diesem großen Aufgabenspektrum überfordert sind, insbesondere finanziell. Da die „Finanzierung dieser Bereiche immer mehr fast ausschließlich den Kommunen" überlassen wird [M72], sehen sich Bürgermeister bei der Bewältigung des Problems auf sich selbst gestellt und fordern vom Land, „den kommunalen Finanzausgleich ausreichend auszustatten" [M72].

Nachfolgend werden einige der oben vorgestellten Schlüsselausdrücke exemplarisch auf ihre Vernetzungen mit anderen Begriffen überprüft. Unter den „begrifflichen Vernetzungen" versteht man sprachlich nichtzusammenhängend (mit)erwähnte Inhalte, die mit einem anderen Begriff nach dem Prinzip der Kookkurrenz erst durch WinRelan® in Verbindung gebracht werden. So entstehen Assoziationsnetze, die unterschiedliche Kombinationsmöglichkeiten der Inhalte modelhaft mit Assoziationsgraphen präsentieren. Für besseren Überblick hat man sich bei den graphischen Darstellungen folgender Farbkodierung bedient, die vom Gabek® mitgeliefert wurde:

Legende zur verwendeten Farbkodierung nach der Anzahl der Bewertungen und Kausalannahmen

Anhand der Farbkodierung lässt sich die Relevanz der Schwerpunkte ablesen. Hoch ist ein Schwerpunkt, wenn die entsprechenden Zustände in Neujahrsreden häufig positiv oder negativ bewertet wurden oder durch die Kausalwirkungen viele Folgen erwartet wurden.

(2)   Assoziationsgraphen der relevanten Schlüsselbegriffe

Durch die WinRelan®-Option „Netzwerkgrafik" kann folgender Graph des zentralen Schlüsselbegriffs *Stadt_unsere* abgerufen werden.

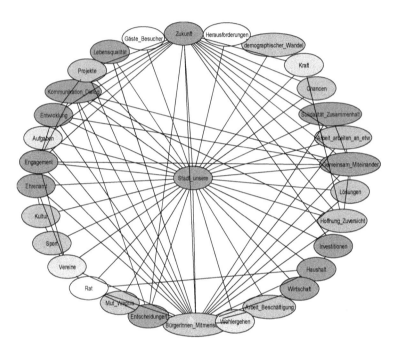

**Abbildung 3: Assoziationsgraph *Stadt_unsere* (mit Farbkodierung nach Re-
levanzzahl) . Jede Verbindung ist mit mind. 7 Sätzen belegt.**

Der Assoziationsgraph *Stadt_unsere* präsentiert eine Begriffstopologie des relevantesten Schlüsselbegriffs *Stadt_unsere*. Bei den Vernetzungen handelt es sich
um Inhalte, die sich durch Erfahrungen und Wissen etabliert haben und die in
ganz unterschiedlichen Zusammenhängen von unseren Bürgermeistern
(mit)erwähnt wurden. Dieser Graph lässt darauf schließen, dass 'Stadt' als ein
komplexes Gefüge aufgefasst werden kann, in welchem sehr viele Schwerpunkte miteinander unterschiedliche Korrelationen eingehen und unterschiedlich ge-
wichtet werden. Wichtig sind: *Zukunft, Solidarität_Zusammenhalt, Investitio-*

nen, Haushalt, Wirtschaft, Entscheidungen, Ehrenamt, Engagement, Entwick-lung, Kommunikation_Dialog sowie *Lebensqualität*, was auch folgende Satzbe-lege verdeutlichen.

Aber er kann bei weitem nicht das ersetzen, was zu seinen Füßen fehlt – eine gewachsene Stadt, eine Stadt mit Geschichte und Tradition, eine Stadt mit Kultur, mit einem selbstbewussten Bürgertum, eine Stadt, in der nicht Scheichs und Arbeitssklaven nebeneinander, sondern Menschen aus 140 Nationen friedlich und solidarisch mit-einander leben. [B70]

Wir sind wieder wer. Das Image und der Aufenthaltswert unserer Stadt hat sich erheblich verbessert. [E04]

Ich habe daher ein klares Ziel vor Augen: eine wirtschaftlich starke Stadt, eine Stadt, die Investitionen anzieht, ei-ne Stadt, in der Schulden abgebaut werden, eine Stadt, in der Leistung sich lohnt, eine Stadt aller Generationen, eine Familienstadt. [I28]

Nächster Schlüsselbegriff, der im Zentrum des Interesses steht, ist der Wertbe-griff *Gemeinsam_Miteinander*. Wird die Zahl der Sätze, die jede der Verbin-dungen belegen, auf 5 gesetzt, so entsteht der folgende Graph.

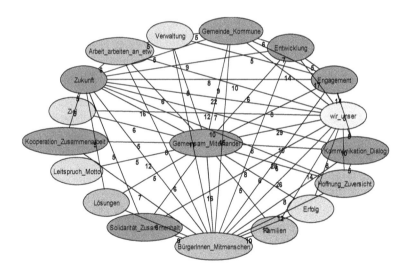

Abbildung 4: Assoziationsgraph *Gemeinsam_Miteinander* (Farbkodierung nach Relevanzzahl). Jede der Verbindungen ist mit mind. 5 Sätzen belegt.

Eine eingehende Analyse dieser Abbildung führt zu einem klaren Ergebnis, wel-ches folgende Aussage treffend auf den Punkt bringen:

Eine Kommune ist nicht bloß ein Wirtschaftsstandort. Eine Kommune ist eine Gemeinschaft, in der das Miteinander zählt. [E89]

Gemeinsam_Miteinander ist mit vielen Knotenbegriffen dicht vernetzt. Dies zeigt, dass in *Gemeinde_Kommune* (9 Verbindungen) auf die gemeinsame *Arbeit_arbeiten_an_etw* (5 Belege) und *Kooperation_Zusammenarbeit* (auch 5 Belege) der *BürgerInnen* (15 Belege) ankommt. *Solidarität_Zusammenhalt* sind in diesem Kontext präsent mit 6 Belegen. Dabei soll *Gemeinsam_Miteinander* nicht nur im privat (z.B. *Familie* mit 5 Belegen), sondern genauso in der *Verwaltung* (5 Belege) immanent praktiziert werden. Aus *Gemeinsam_Miteinander* entwickelt sich das Gemeinschaftsgefühl *wir_unser* (29 Belege) das wiederum in *Gemeinsam_Miteinander* weiter gestärkt und entwickelt werden kann. Dabei bringen *BürgerInnen* (12 Belege) nicht nur *Hoffnung_Zuversicht* (6) in die Gemeinschaft. Auch *Gemeinsam_Miteinander* ist für die Konzeptualisierung und Ausarbeitung der gemeinsamen *Ziele* (6 Belege) und *Leitsprüche* (5 Belege) wichtig. Von *BürgerInnen* (10 Belege), *Gemeinsam_Miteinander* (6 Belege) und *wir_unser* (8 Belege) hängt der gemeinsame *Erfolg* (6 Belege) ab. *Gemeinsam_Miteinander* (16 Belege) und der mit ihm eng verknüpfte Schlüsselbegriff *wir_unser* (22 Belege) scheinen zwei wichtige Indikatoren zu sein, die die Zusammengehörigkeit stark prägen. Durch gemeinsames *Engagement* (8 Belege) und kooperative *Kommunikation_Dialog* (mit 10 Belegen) sollen positive Kräfte aktiviert werden, um sie nachher zielgerichtet einsetzen zu können, z.B. zur Formulierung von *Lösungen* (fünfmal belegt).

Das ist nun mal so, und wir wären ärmer in der öffentlichen Diskussion, wenn diese Lebendigkeit des Miteinanders nicht wäre. [J27]

Es fällt auf, dass *Gemeinsam_Miteinander* mit 16 und *wir_unser* mit 22 Belegen für *Zukunft* von enormer Bedeutung zu sein scheinen.

(...) Lassen Sie uns gemeinsam dieses Image pflegen und verbreiten, lassen Sie uns gemeinsam an den Stellen arbeiten, an denen es noch schöner werden kann und lassen Sie uns gemeinsam mit großer Lebensfreude das genießen, was unsere Vorfahren und wir alle in dieser Stadt bereits erreicht haben. Dazu wünsche ich uns allen Glück und Gottes Segen. [I18]

Wenn wir uns vor Augen führen, was das letzte Jahr Emmerich am Rhein gebracht hat, können wir feststellen, dass wir gemeinsam eine Menge erreicht haben. Wir haben Aufgaben in Angriff genommen, die die Lebensqualität in unserer Stadt verbessern und sie zukunftsfähig machen sollen. [D49

Wird dagegen die soeben vorgenommene Einstellung von 5 auf minimal 2 Sätze pro Verbindung reduziert, bekommt man als Ergebnis den folgenden Graphen.

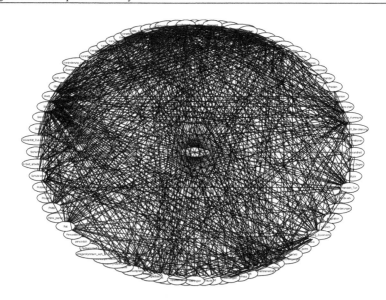

Abbildung 5: Assoziationsgraph *Gemeinsam_Miteinander.* Jede der Verbindungen ist mit mind. 2 Sätzen belegt.

Der sehr hohe Vernetzungsgrad des Schlüsselbegriffs *Gemeinsam_Miteinander*
mit anderen Begriffen weist auf die hohe und allgegenwärtige Relevanz des gemeinschaftlichen Aspekts: Gemeinsame Interessen, Handlungen, Zielsetzungen
sowie emotionale Bindungen führen dazu, dass unterschiedliche Lebensbereiche
auf unzählige Art und Weise miteinander eng verflochten sind. *Gemein-
sam_Miteinander* wächst zu einer Antriebskraft bei der Bewältigung von alltäglichen Aufgaben:

Es ist schön hier in Krefeld. Lassen Sie uns gemeinsam dieses Image pflegen und verbreiten, lassen Sie uns
gemeinsam an den Stellen arbeiten, an denen es noch schöner werden kann und lassen Sie uns gemeinsam mit
großer Lebensfreude das genießen, was unsere Vorfahren und wir alle in dieser Stadt bereits erreicht haben.
Dazu wünsche ich uns allen Glück und Gottes Segen. [I18]

Wichtig ist mir, dass wir gemeinsam erkennen und spüren, dass die Abarbeitung einzelner Handlungsfelder nicht
zufällig, sondern Teil eines geplanten und planvollen Ganzen ist. [J69]

Die folgende Abbildung zeigt uns Inhalte, die mit dem Wertbegriff *Solidari-
tät_Zusammenhalt* vernetzt sind. Bei dieser Art des Assoziationsgraphen kann
anhand der Linienstärke der einzelnen Verbindungen die Bedeutung der jeweili-

gen Inhalte schon visuell im Kontext wahrgenommen werden. Ist die Verbin-
dungslinie stark markiert, deutet dies auf eine häufigere Belegung uns somit auf
hohe Relevanz des Inhalts hin.

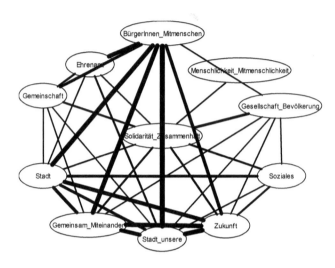

Abbildung 6: **Assoziationsgraph** *Solidarität_Zusammenhalt.* **Jede der Verbindungen ist mit mind. 4 Sätzen belegt.**

Bei dieser Abbildung wird deutlich, dass die direkten Verbindungen um den
Schlüsselbegriff *Solidarität_Zusammenhalt* vergleichsweise viel schmäler aus-
fallen als diese um *Gemeinsam_Miteinander*. Die niedrige Belegung dieses
Wertes resultiert möglicherweise aus der mangelhaften Bereitschaft der BürgerInnen, sich solidarisch einzusetzen, sei es beispielweise ehrenamtlich, sei es in
privaten zwischenmenschlichen Relationen. Der Grund dafür liegt wahrschein-
lich in der die Gesellschaft spaltenden sozialen Ungleichheit und Ungerechtigkeit. Die Förderung nach mehr *Solidarität_Zusammenhalt* scheint zum wach-
senden Anliegen der nächsten Jahre zu werden, denn ohne Solidarität kann eine
sozialorientierte Gesellschaft nicht organisch funktionieren:

Veränderungen, die auf uns zukommen werden, bieten auch neue Chancen. Dabei ist es gut, zu wissen, dass eine Gesellschaft kein Wirtschaftsunternehmen ist. Vielmehr müssen wir auch auf Dinge achten, die das Gefüge
Gesellschaft zusammenhalten: Solidarität und Mitmenschlichkeit. [F11]

Nun, vielleicht kann man an dieser Stelle einwenden, dass die innere Stärke unserer Stadt eine pure Behauptung ist. Ich möchte Ihnen heute Abend zeigen, dass wir selbst bei schwierigen Zukunftsthemen durch Gemeinsinn und Solidarität, durch Engagement vieler in Vereinen, Institutionen und Initiativen allen Grund dazu haben, daran zu glauben. [M13]

Nun untersuchen wir, welche assoziativen Verbindungen der instrumentale Begriff *Engagement* eingeht.

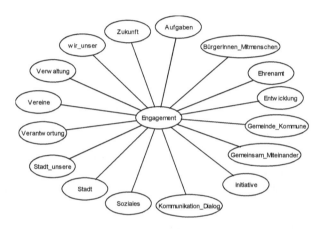

Abbildung 7: Assoziationsgraph *Engagement*. Jede der Verbindungen ist mit mind. 5 Sätzen belegt.

Dieser Graph mit den 5-fachen Verbindungen gibt ein klares Bild über Inhalte wieder, die mit dem Schlüsselbegriff *Engagement* unmittelbar verknüpft sind. Neben *Gemeinde_Kommune, Zukunft, Ehrenamt, Vereine* oder *Soziales* sticht hervor, dass auch *Gemeinsam_Miteinander*, *wir_unser*, *Stadt* und *Stadt_unsere* zu diesem Feld gehören. *Engagement* kann in diesem Kontext verstanden werden als verantwortungsbewusste Handlungen, die sozial motivierte Bürger und Bürgerinnen zum Wohle der Gemeinschaft freiwillig und uneigennützig erbringen; ein Beitrag für Mitmenschen, Stadt und Zukunft. Dass bereits viel *Engagement* vorhanden ist, weisen darauf folgende Sätze hin:

Es gibt viel Engagement in unserer schönen Stadt Geldern. In den caritativen Organisationen, in Vereinen, in der Nachbarschaftshilfe, im Kultur- und Sportsponsoring. Und dafür möchte ich zum Jahresabschluss ganz herzlich danken. Ihr Handeln, liebe Bürgerinnen und Bürger ist mehr denn je unverzichtbar. [E88]

Gleiches gilt für das Rheinmuseum, dem Stadttheater, der Bücherei und dem PAN Kunstforum. Ich bin sehr froh, dass es in Emmerich am Rhein zahlreiche Bürgerinnen und Bürger gibt, die sich aktiv für Ihr Umfeld einsetzen. [D33]

Weiter zeigt sich, dass es bei weitem nicht nur auf das bürgerschaftliche Engagement ankommt, sondern auf das Engagement aller Beteiligten:

Engagierte Bürgerinnen und Bürger, Politik und Verwaltung haben sich gemeinsam für eine anwohnerfreundliche Lösung bei der Südumgehung stark gemacht. Mit dem verlängerten Tunnel und der Fußgängerüberführung „Kiek in den Busch" wird diesem Engagement entsprochen. [N03]

Engagement wird besonders dann hoch geschätzt, wenn sich Menschen aus eigener Initiative heraus bei *Vereinen* und anderen *Organisationen* ehrenamtlich für bedürftige Menschen einsetzen, oder sich an der Förderung von Kindern und Jugendlichen beteiligen. Dass dieser Wert für den *Gemeinwohl* der Stadt oder Gemeinde und ihre *Entwicklung* wichtig ist, bestätigt dieser Satz:

Unsere Gemeinde lebt vom bürgerschaftlichen Einsatz, vom Ehrenamt und der nachbarschaftliche Hilfe vieler, vom Eintreten und der Mitverantwortung für andere Menschen. Die ehrenamtlich Tätigen sind es, die unsere Gemeinde im Inneren zusammenhalten, sie machen das soziale und gesellschaftliche Leben unseres Gemeinwesens lebenswert. [A65]

Da wir dem Schlüsselbegriff *Ehrenamt* – als einer besonders wertgeschätzten Form bürgerschaftlichen Engagements – interessanterweise in den meisten bisher untersuchten Verbindungen begegnet sind, schauen wir uns den Graphen mit diesem Begriff im Zentrum genauer an.

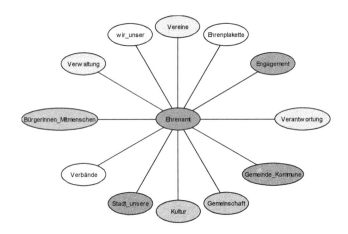

Abbildung 8: Assoziationsgraph *Ehrenamt*. Jede der Verbindungen ist mit min. 5 Sätzen belegt.

Ehrenamt ist sichtbar in vielen Bereichen des Stadtlebens verankert, wie *Kultur, Verbände, Vereine, Gemeinschaft.* Ehrenamt sorgt für die Bewältigung unterschiedlicher Aufgaben an der Basis, bringt die *BürgerInnen_Mitmenschen* näher zusammen, prägt und stärkt den Gemeinsinn von *Stadt_unsere, Gemeinde_Kommune.* Von der Bedeutung und Vielfältigkeit „der beständigen Leistung" der ehrenamtlichen Arbeit hat sogar die *Stadtverwaltung* großen Respekt [I15]:

Ehrenamtliche Arbeit bedeutet Teilhabe, Mitgestaltung und -Mitwirkung, Bürgernähe und Einflussnahme in allen Bereichen der Gesellschaft. [E22]

Im bürgerschaftlichen Engagement liegt die Kraft der Erneuerung. Das hat Mönchengladbach in den zurückliegenden Monaten im positiven Sinne deutlich zu spüren bekommen (...). [K81]

Und würdigt diese mit der Ehrenplakette, um die Besonderheit der Verdienste der ehrenamtlich engagierten Mitmenschen hervorzuheben:

Die Eheleute Maria und Willi Lemm erhielten die Auszeichnung aufgrund ihrer Verdienste im Stadtteil Hanselaer. [F 87]

Verantwortung für Mitmenschen ist die treibende Kraft dieser Tätigkeit. Damit WinRelan® ein ausdrucksstarker Graph dieses Schlüsselbegriffes abgerufen werden konnte, was normalerweise für die Gruppe der emotiven Ausdrücke nicht der Fall ist, wird dieser an dieser Stelle repräsentativ vorgestellt.

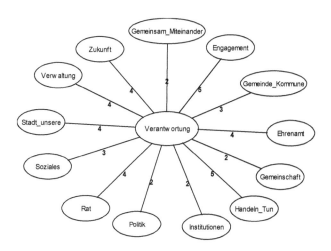

Abbildung 9: Assoziationsgraph *Verantwortung*. Jede der Verbindungen ist mit mind. 2 Sätzen belegt.

Der Assoziationsgraph zeigt, dass *Verantwortung* in allen Lebensbereichen jetzt und in der Zukunft unverzichtbar ist – egal ob für zwischenmenschliche Beziehungen in *Ehrenamt*, für den Zusammenhalt der *Gemeinschaft, Gemeinde_Kommune,* oder für institutionelles und politisches Handeln der *Verwaltung,* der *Politik* des *Rates* und selbst des Bürgermeisters:

Wir haben nicht den Kopf in den Sand gesteckt, sondern haben in dieser Situation eine Chance gesucht, Kempen, St. Hubert, Tönisberg und Schmalbroich noch stärker für die Zukunft aufzustellen. Rat und Verwaltung haben sich in die Pflicht genommen und sich ihrer Verantwortung gestellt. [G29]

Der Anspruch auf die Mitwirkung aller Beteiligten ist fundamental, denn nur unter Einbeziehung der „Mitwelt" erreicht der Begriff seinen Sinn:

Denn diese Gemeinde kann bei aller Haushalts- und Aufgabenverantwortung des Rates nicht einsam von oben herab oder bürokratisch geführt werden, sondern sie lebt von der Mitwirkung, der Mitgestaltung und Mitverantwortung zahlreicher Bürgerinnen und Bürger in Institutionen, Vereinen und Nachbarschaften. [A50]

Mehr denn je zuvor liegt in den Händen dieser Mitbürgerinnen und Mitbürger eine besondere Verantwortung für die Zukunft unserer Stadt. [G70]

Nun schauen wir uns den weiteren Instrumentalbegriff *Förderung_fördern _etw/jmdn* auf assoziative Verbindungen.

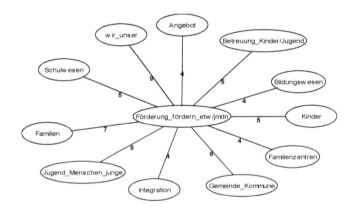

Abbildung 10: Assoziationsgraph *Förderung_fördern_etw/jmdn*. Jede der Verbindungen ist mit mind. 4 Sätzen belegt.

Im Kontext der geführten Diskussionen um *Förderung* werden nach diesem Graphen folgende Bereiche am meisten (mit-)erwähnt: zum einen personen- und gruppenbezogene Förderungen von *Kindern* (5 Belege), *Jugend_Menschen* _junge_ (5), _Familien_ (7)) und zum anderen institutionell bezogene Förderungen, z.B.: _Schulwesen_ (5) und _Bildungswesen_ (4), _Betreuung von Kindern/Jugend_ (5) (die Erhöhung der Betreuungsplätze), oder _Familienzentren_ (4 mal belegt). Mit _Förderung_fördern_etw/jmdn_ wird noch ein weiterer wichtiger Schlüsselbegriff in Verbindung gebracht. Es geht um den Schwerpunkt _Integration_ (4 Belege). Die folgenden Satzbelege verdeutlichen die Relevanz dieses Schlüsselbegriffes _Förderung_fördern_etw/jmdn_ in der politischen und sozialen Debatte:

Auf diesem Feld arbeiten öffentliche und private Träger und Menschen vieler Nationalitäten gut zusammen. Das Netzwerk der Betreuung und der Familienförderung wächst von Tag zu Tag. [H39]

Zu den wichtigen Arbeitsfeldern für 2008 zähle ich die Wirtschafts- und Beschäftigungsförderung, die Familienförderung, die weitere Entwicklung der Integration von Zuwanderern und Menschen mit Migrationshintergrund vor auf die Basis des bereits bestehenden Integrationskonzeptes und die städtebauliche Gestaltung der Mönchengladbacher und Rheydter Innenstadt mit den bereits erwähnten Großprojekten. [L09]

Auch die Kooperation zwischen dem Fachbereich Schule und dem Fachbereich Jugend war im Hinblick auf die Förderung aller Kinder noch nie so intensiv wie heutzutage (...). [H22]

Bei den folgenden Graphen werden zum einen soziale und zum anderen demographische Themen ins Auge gefasst.

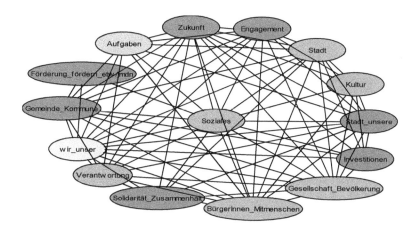

Abbildung 11: Assoziationsgraph _Soziales_ (Farbkodierung nach der Relevanzzahl). Jede der Verbindungen ist mit mind. 3 Sätzen belegt.

Der Assoziationsgraph *Soziales* mit den 3-fachen Verbindungen veranschaulicht, dass dieser Bereichsbegriff ein wichtiger Bestandteil gesellschaftlichen, kulturellen und politischen *Aufgaben* ist. *Solidarität, Verantwortung* sowie sozialer Gestaltungswille ist unabdinglich für ein gut funktionierendes soziales Gefüge von *Gemeinde_Kommune, Gesellschaft, Stadt.* Leben heißt Fortschritt und:

Veränderungen sind notwendig, sie müssen aber gerecht gestaltet werden, ohne dass der gesamte gesellschaftliche Zusammenhalt aufgegeben wird und dass ein Teil der Gesellschaft dabei auf der Strecke bleibt. Daher müssen wir uns alle der Sicherung des sozialen Friedens in unserer Stadt verpflichtet fühlen. [L05]

Der Erhalt bestehender und die Schaffung neuer Arbeitsplätze, Integration und Chancengleichheit für alle Bürger bedeutet, Kosten im sozialen Bereich zu senken. Weitere *Investitionen* – auch trotzt der knappen Finanzen, da die Städte den großen Teil der sozialen Ausgaben selbst tragen – wirken stabilisierend und zukunftsweisend:

Investition in die Zukunft der Stadt heißt, sich der sozialen Verantwortung zu stellen: Dieser sozialen Verantwortung, die gerade in Zeiten eines globalisierten Arbeitsmarktes und der allgemeinen wirtschaftlichen Rezession sowie der momentanen weltweiten Finanzkrise an Bedeutung gewinnt, ist eine der besonderen Herausforderungen, die sich Bund, Länder und Kommunen gemeinsam zu stellen haben. [K26]

Ein weiterer relevanter Schwerpunkt im Rahmen der sozialen Thematik ist *demographischer_Wandel* mit insgesamt 24 Relevanzpunkten.

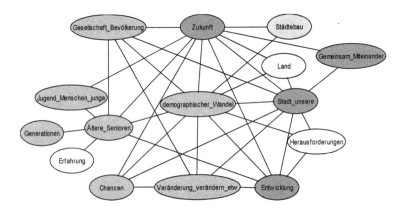

Abbildung 12: Assoziationsgraph *demographischer_Wandel* (Farbkodierung nach der Relevanzzahl). Jede der Verbindungen ist mit mind. 3 Sätzen belegt.

Wie diesem Assoziationsgraphen zu entnehmen ist, wird *demographischer_Wandel* primär mit *Zukunft, Stadt_unsere* sowie *Entwicklung* und *Gemeinsam_Miteinander* in Verbindung gebracht. Sekundär dagegen mit *Veränderungen, Chancen* und *Ältere_Senioren*, die wiederum mit *Erfahrungen, Generationen* und *Jugend_Menschen_junge* weitere Verknüpfungen eingehen. Anhand dieser Ergebnisse wird es deutlich, dass sämtliche quantitative Veränderungen in Zusammenhang mit der Geburtenrate, dem Altersausbau oder der Zu- und Auswanderung weitreichende Auswirkungen auf die Städte haben können.

Der demografische Wandel wird sich nachhaltig und langfristig stärker auf das städtische Handeln auswirken. Wir werden aus dieser Entwicklung neue Chancen und Potentiale entwickeln. [D37]

Die Aussage bestätigt die optimistische Einstellung gegenüber demographischen Veränderungen, die eher als Chance für neue Entwicklungen anzusehen sind. Es handelt sich dabei nicht nur um die Herausforderungen an die städtebaulichen Maßnahmen, weil neues seniorengerechtes Wohnen und barrierefreie Zugänge gebaut und gesichert werden müssen, sondern es geht vielmehr darum, wie ältere Menschen voll in die Gesellschaft integriert werden können, damit ihr Potenzial an Wissen und Erfahrungen für nachfolgende Generationen genutzt werden kann:

Wir werden die Fragen zu beantworten haben, auf welche Art und Weise die unterschiedlichen Generationen voneinander profitieren, wie wir Konflikte lösen und Solidarität in einer alternden Gesellschaft fördern können und wie wir schließlich die Stärken der jungen mit den Erfahrungen der älteren Menschen am besten miteinander vereinbaren. [D71]

Von Wissen und Erfahrungen der Senioren sollten auch die Entscheidungsberechtigten der Stadt profitieren, daher:

Ich möchte einmal im Monat einen „Gesprächskreis zur Zukunft der Stadt Viersen" anbieten. Unabhängig von Politik und Öffentlichkeit möchte ich in diesem Rahmen regelmäßig mit Menschen über 60 Jahre diskutieren. [L86]

Ein weiterer Schlüsselbegriff im Rahmen des demografischen Wandels und der sozialen Thematik ist *Integration;* ein zentrales Thema sozial-politischer Diskussionen, welches auch in Neujahrsreden stark problematisiert wird.

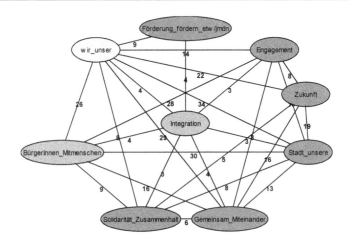

Abbildung 13: Assoziationsgraph *Integration* (Farbkodierung nach der Relevanzzahl). Erweiterung durch Schlüsselbegriff Zukunft. Jede der Verbindungen ist mit mind. 3 Sätzen belegt.

Dieser Netzwerkgraph zeigt, dass *Integration* – im Sinne von Eingliederung der Mitbürger mit Migrationshintergrund, sozial schwacher, älterer oder behinderter Mitbürger – eins der zentralen Themen in Gemeinschaftsbildungsprozessen ist. Zunächst fällt es auf, dass unmittelbare Verbindungen mit Begriffen wie *Solidarität_Zusammenarbeit*, *Gemeinsam_Miteinander*, *Stadt_unsere*, *Engagement*, *Förderung_fördern_etw/jmdn* und *Zukunft* lediglich mit 3 oder 4 Sätzen belegt sind, was nicht unbedingt von einer mäßigen Relevanz von *Integration* zeugt, sondern eher von einer innenpolitischen Uneinigkeit darüber, wie man mit dem wichtigen und sensiblen Thema umgehen soll. Dass Integrationsförderung prinzipiell auf gesellschaftliche Interaktionen ausgerichtet ist, belegen folgende Sinneinheiten:

Bemerkenswert ist auch, dass sich hier ein Verein, die SG Dülken, ganz aktiv und mit großem Engagement der Aufgabe der Integration gestellt hat. [M24]

Es gibt viele weitere gute Beispiele wie eine gemischte Frauengymnastikgruppe oder ein Elterncafe, all dies zeigt, dass es Menschen gibt, die sich im Großen und im Kleinen für Integration engagieren. [M25]

Dass in Viersen Gemeinsamkeit gepflegt wird, Solidarität gezeigt wird, das Miteinander sich entwickelt - somit Integration im besten Sinne auf einem guten Weg ist, zeigt sich an schwierigen Themen, wo wir in unserer Stadt stolz auf erreichtes sein können und den eingeschlagenen Weg mit Mut und Überzeugung weitergehen sollten. [M15]

Immerhin ist dieser Schlüsselbegriff wichtig bis sehr wichtig für die Korrelationen der oben genannten Begriffe untereinander, worauf die hohe Belegung von mindestens 6 bis maximal 19 Sätze pro Verbindung hinweist, denn schließlich von *Integration* hängen kettenartig weitere sozialgesellschaftliche und politische Entwicklungen ab. Für die Zukunft ist es den Bürgermeistern daher wichtig, die Integration in allen Lebensbereichen voranzutreiben:

Das soziale Arbeitsfeld unserer Zeit ist vor allem die gesellschaftliche Integration unserer Bürger und eine möglichst gute Chancengerechtigkeit für kommende Generationen. [H37]

Wir wollen und werden verhindern, dass ganze Bevölkerungsteile und Stadtviertel absacken. Wir wollen alle Krefelder mitnehmen in die Zukunft. Und ich bin sehr optimistisch, dass uns dies dank Ihres Engagements gelingen wird. [H41]

In Anbetracht der sozial-demografischen Entwicklungen in der Stadtstruktur kann abschließend festgehalten werden: *Gemeinsam_Miteinander*, *Stadt_unsere*, und *Zukunft* prägen alle bisher dargestellten Ergebnisse. Dadurch dass sie in unterschiedliche zahlreiche Vernetzungen mit anderen Schlüsselbegriffen treten, gehören diese Begriffe zum Kanon der Identifikationsprozesse, was auch anhand des folgenden Schaubildes belegt werden kann.

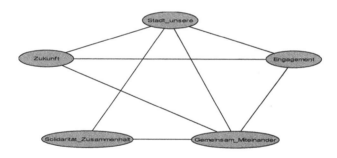

Abbildung 14: Assoziationsgraph *Stadt_unsere* (Farbkodierung nach der Relevanzzahl). Jede der Verbindungen ist mit mind.9 Sätzen belegt.

Dieser Graph stellt die vereinfachte Version des Graphen *Stadt_unsere* (s. Abb. 4, S. 62) dar, erhöht man die Mindestanzahl der Belegsätze auf 9. Somit wird die Tendenz bestätigt, dass *Gemeinsam_Miteinander*, *Zukunft* und *Stadt_unsere* samt *Solidarität_Zusammenhalt* mit *Engagement* ein geschlossenes Subsystem bilden, welches bei der Stadtentwicklung besonders wichtig ist. Daher kann folglich angenommen werden, dass diese Inhalte die urbanen Identifikationsprozesse und die Konstruktion raumbezogener Identitäten prägen.

Bisher wurden ausgesuchte Inhalte der Identitätsbildung im Kontext der kollektiven Interaktionsprozesse untersucht. Da es sich jedoch bei raumbezogenen Identitäten primär um die Bildung von Identitäten mit territorialem Bezug handelt, sollte nachfolgend auf den Schlüsselbegriff *Standort* näher eingegangen werden, wobei die wichtigsten Konnotationen mit diesem Schlüsselbegriff zu charakterisieren sind. Bei *Standort* handelt es sich inhaltlich überwiegend um individuelle Vorstellungen und Wahrnehmungen der Bürgermeister vom städtischen bzw. lokalen oder regionalen Raum. An dieser Stelle soll noch klärend gesagt werden, dass der Schlüsselbegriff *Standort* mit der Relevanzzahl 13 selbst in der abgebildeten Relevanzliste (s. S. 57) nicht zu finden ist, da nur Begriffe bis Relevanzzahl 15 in die Liste aufgenommen worden sind.

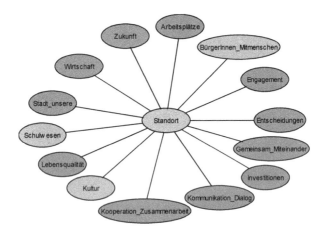

Abbildung 15: Assoziationsgraph Standort (Farbkodierung nach der Relevanzzahl). Jede der Verbindungen ist mit mind.2 Sätzen belegt.

Anhand der farblichen Markierung lesen wir ab, dass der Schlüsselbegriff *Standort* überwiegend mit Inhalten, die die höchsten Relevanzzahlen erhielten, verbunden ist. Es verwundert nicht, dass *Schulwesen, Arbeitsplätze, Lebensqualität* oder *Wirtschaft* vernetzt werden, denn diese gelten als konstitutive Faktoren[35] bei der Standortswahl. Da unerwartet auch solche Inhalte wie *Kooperation_ Zusammenarbeit, Gemeinsam_Miteinander, Engagement, Entscheidungen* oder *Kommunikation_Dialog* auftauchen, kann dies als eine neue Tendenz gedeutet werden, dass *Standort* zugleich durch unternehmensspezifische Imageparameter mitbestimmt wird, die auf eine kooperative Zusammenarbeit, transparente Kommunikation sowie ein widerspruchsfreies und entschiedenes Auftreten nach innen und außen abzielen.

6.1.2. Bewertungen

Das Ziel der Bewertungsanalyse ist es, anhand der negativen und positiven Bewertungen die aktuelle Lage der Städte und Gemeinden zu ermitteln. Gute und schlechte Entwicklungstendenzen sollen erfasst werden, um auf dieser Basis Lösungsvorschläge für die Zukunft ableiten zu können. Eine Übersicht über die kodierten Bewertungen gibt die Relevanzliste (s. Kap. 6.1.1), deren ausgesuchte Inhalte mit Hilfe von Bewertungsgraphen nachfolgend präsentiert werden.

Im ersten Schritt werden Bewertungen der Ist-Situation gezeigt. Bewertungen der Soll-Situation sollen im zweiten Schritt dargestellt werden. Die gewählte graphische Ordnung geht aus der vorgegebenen Bewertungskodierung hervor: „+" steht für positive Bewertung, „–" für negative Bewertung und „0" ohne Bewertung. Zahlenangaben in den Abbildungen beziehen sich auf die Anzahl der Texte, in denen die Bewertungen vorkommen. Graphisch werden überwiegend positive Bewertungen grün, negative gelb und Null-Bewertungen grau hinterlegt. Schlüsselausdrücke, die nicht bewertet wurden, sind in den Darstellungen weiß hinterlegt.

---

[35]   Vergleichsweise werden in der Betriebswirtschaft folgende Faktoren zur Standortwahl genannt: objektive Faktoren (z.B. Infrastruktur, Objektbewertung, Kosten, gesetzliche Rahmenbedingungen), subjektive Faktoren (z.B. Demografie, Marktpotenzial, Lebensgewohnheiten, Konkurrenzumfeld) und quantitative Faktoren (beispielsweise Transportkosten) sowie qualitative Faktoren (z.B. Grundstückslage, Umwelt) (vgl. WEIGERT/PEPELS 1999:541).

Thematisch wird der Fokus auf die Bewertung wirtschaftlicher und finanzieller Lage gelegt. Grundlage für diese Ausrichtung ist die Tatsache, dass positiv bewertete Wirtschaftssituation wichtig für die Konjunktur und für die Sicherung des Standortes Stadt ist und allgemein zur Erhöhung des Gemeinwohls beiträgt. Eine weitere Überlegung ist, dass die positiv markierten Inhalte – wie *Wirtschaft* oder *Haushalt* – die Intensität raumbezogener Identitätsbildung fördern können. Demgegenüber können negativ bewertete Schlüsselausdrücke als mögliche Störungsfaktoren verstanden werden, welche die Identifikationsprozesse beeinträchtigen. Am Rande soll noch erwähnt werden, dass diese Betrachtungen trotz der aufkommenden Vermutung vorgenommen worden sind, dass in traditionellen Neujahrsansprachen viele negative Aspekte gar nicht oder nur teilweise verschönert zur Sprache gebracht worden sind, um die feierliche Stimmung von negativen Inhalten nicht zu überschatten.

(1)   Bewertung der Ist-Situation
Zur Annäherung an die Frage, welche Indikatoren einen sicheren wirtschaftlichen Rahmen garantieren, wird zunächst der Schlüsselbegriff *Wirtschaft* auf mögliche Assoziationen untersucht.

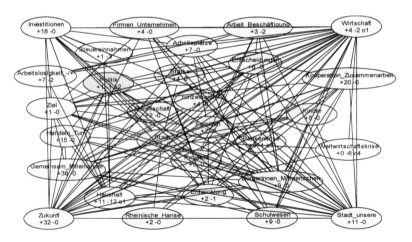

Abbildung 16: Bewertungsgraph *Wirtschaft* (Bewertung der Ist-Situation).
Jede der Verbindungen ist mit mind. 3 Sätzen belegt.

In diesem Bewertungsgraphen wird die gegenwärtige wirtschaftliche Situation der Städte überwiegend positiv bewertet. Der Schlüsselbegriff *Wirtschaft* hat insgesamt vier positive und 2 negative Bewertungen erhalten. Eine sehr hohe positive Bewertung erhielten mit Abstand Schlüsselbegriffe *Gemeinsam_Miteinander* (+38) und *Zukunft* (+32). *Kooperation_Zusammenarbeit* mit positiver Gesamtbewertung 20 ist ein weiterer wichtiger Begriff mit vielen Belegen. Dann folgen *Investitionen* (+18) *Handeln_Tun* (+15), *Haushalt* (+11) und *Stadt_unsere* (+11). *Arbeitsplätze* erhielten 7 und *Arbeit_Beschäftigung* 3 positive Bewertungen. Als sehr problematisch eingeschätzt wird dagegen *Haushalt* (–12), gefolgt von *Weltwirtschaftskrise* (–6) und *Steuereinnahmen* (–3). Negativ bewertet wurden daneben auch *Arbeit_Beschäftigung* und *Arbeitslosigkeit-/+* mit jeweils zwei Minus-Bewertungen. Insgesamt liefert der Graph jedoch ein positives Bild der rheinischen Wirtschaft, die grundlegend ist:

Gesunde Wirtschaft und gesunder Handel sind die Grundlage für die Zukunft unserer Stadt, nicht nur wegen der Gewerbesteuereinnahmen, nein, vor allem deshalb, weil damit Arbeit und Beschäftigung geschaffen werden. [L63]

In den vergangenen Wochen und Monaten haben wir aus der Krefelder Wirtschaft wichtige, positive Signale erhalten, die uns für 2010 Rückenwind geben. [I47]

Das überwiegend positive Bild ist das Ergebnis der Bereitschaft und Kooperation zwischen allen beteiligten Akteuren:

Es gibt hier in Wirtschaft wie Politik viel Bereitschaft zu gemeinsamem Handeln, um unsere Probleme anzupacken. [G49]

Ersichtlich ist, dass *Gemeinsam_Miteinander*, *Zukunft* vergleichsweise nicht nur im sozialen, sondern auch im wirtschaftlichen Sektor zwei wichtige Inhalte sind, auf die bei für Zielsetzung geachtet werden muss:

(...) eine wirtschaftlich starke Stadt, eine Stadt, die Investitionen anzieht, eine Stadt, in der Schulden abgebaut werden, eine Stadt, in der Leistung sich lohnt, eine Stadt aller Generationen, eine Familienstadt. [I28]

Die negative Bewertung der Schlüsselbegriffs *Wirtschaft* geht deutlich auf die Folgen der *Weltwirtschaftkrise* und der *Bankenkrise* sowie der daraus resultierenden Mehrausgaben zurück, was von folgender Sinneinheit belegt wird:

Welche Folgen und Auswirkungen die Bankenkrise und die zusätzlichen Belastungen durch das Rettungsprogramm haben werden, ist wohl noch gar nicht ganz abzusehen. Nicht zuletzt die aktuellen Schlagzeilen rund um die Gelderner „Ruwel-Werke" zeigen jedoch, dass die Krise auch die reale Wirtschaft in unserer Stadt in Mitleidenschaft zieht. [E79]

Ein weiterer negativ bewerteter Schwerpunkt sind *Steuereinnahmen*. Zurückgehende Steuereinnahmen ziehen defizitäre *Finanzen* nach sich und somit den Rückgang von *Investitionen*. Diese wiederum können für die wirtschaftliche Entwicklung deutlich negative Folgen haben. Nachhaltige, zukunftsorientierte Investitionen sind daher notwendig:

Das heißt, die Investitionen lohnen sich in jeder Beziehung: Sowohl Bürger wie Wirtschaft und Stadtkasse profitieren von ihnen. [F21]

Entscheidend ist, dass im neuen Verbund [Rheinische Hanse] in unseren Hafen investiert werden kann, seine Anlagen in ein regionales Logistiksystem eingefügt werden können und so wieder Initialzündungen für unsere Wirtschaft von den lange nahezu brach liegenden Investitionen ausgehen werden. [G74]

Auch *Arbeit_Beschäftigung* und *Arbeitslosigkeit* wurden jeweils zweimal negativ bewertet. Die Ursachen liegen unumstritten in der aktuellen Arbeitsmarktsituation. Um diese Auswirkungen zu minimieren, ist es für die Zukunft wichtig:

Die Förderung von Ansiedlungen neuer Betriebe und der Erhalt von Arbeitsplätzen durch aktive Wirtschaftsförderung ist eine der wichtigsten Aufgaben. Angesichts der derzeitigen wirtschaftlichen Rahmenbedingungen und der Sorge vieler Menschen vor dem Verlust des Arbeitsplatzes, ist das von zentraler Bedeutung. [N29]

Ein ganz wesentlicher Ansatzpunkt für ein gesundes Gemeinwesen in unserer Stadt ist eine ausreichende Anzahl von Arbeitsplätzen. Arbeit zu haben heißt auch, nicht auf Unterstützung angewiesen zu sein. [M31]

Bevor mit der weiteren Bewertung fortgefahren wird, soll an dieser Stelle eine interessante Entwicklung ins Auge gefasst werden, die hier unter dem Knotenbegriff *Rheinische_Hanse* (+2) kodiert wurde.

Erstmalig präsentierten sich im Juni auf dem 29. Hansetag in Welikij Nowgorod (Russland) die Rheinischen Hansestädte Neuss, Kalkar und Emmerich am Rhein gemeinsam mit dem Ziel, vor allem die wirtschaftliche Bedeutung der alten und neuen Hansestädte am Rhein zu verdeutlichen und deren Zusammenarbeit auf wirtschaftlichem und touristischem Gebiet zu vertiefen. [E08]

Die Stadt auf der Landkarte zu positionieren heißt auch, die Chancen im Verbund zu nutzen und gemeinsam der Region ein unübersehbares Gesicht zu verleihen, indem die Wirtschaftskraft gestärkt, das kulturelle Leben im gegenseitigen Austausch belebt und die Menschen noch näher zueinander geführt werden. [K77]

In Hinblick auf das Konzept und die territoriale Verortung des Städtebündnisses[36] kann es von einer regionalen Identität gesprochen werden. Ferner lässt sich sagen, dass die überregional und über die Landesgrenzen hinaus verlaufende

---

[36] Der Städtebund „Rheinische Hanse wurde im Nov. 2009 gegründet. Ihre Gründung „soll vor allem das Bewusstsein für die Hanse auch in der rheinischen Heimat fördern (…)". Die Hanse konzipiert als Handelsnetz gewinnt im „Netzwerk-Zeitalter" zunehmend an Bedeutung (s. Gründung Rheinische Hanse, unter: http//neus.de/stadtportrait/gruendung -rheinische-hanse. Letzter Zugriff am 13.08.2010).

Präsentation zusätzlich die Intensität der regionalen Identifikationsprozesse verstärkt. Es ist nicht nur das Selbstbild, dem ein individuelles „Gesicht" gegeben wird, sondern auch das Image, mit dessen Hilfe die Eigenidentität weiter entwickelt, ggf. revidiert werden kann. Mit anderen Worten, die Identität der Rheinischen Hanse kann als Resultat der interaktiven Identitätsbildungsprozesse verstanden werden, wobei es nicht ausgeschlossen ist, dass die Intensität der Prozesse auch emotional begleitet wird.

Im Folgenden wird der Schwerpunkt *Haushalt* untersucht. Da die meisten Schlüsselbegriffe aus dem ökonomischen Bereich sehr stark vernetzt sind, muss der Vernetzungsgrad hier deutlich verringert werden, um eine erwünschte Transparenz zu erreichen. Auf diese Weise kam der folgende Assoziationsgraph zustande.

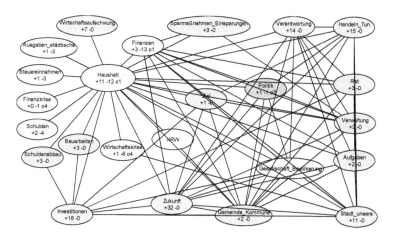

Abbildung 17: Bewertungsgraph *Haushalt* (Bewertung der Ist-Situation). Jede der Verbindungen ist mit mind. 3 Sätzen belegt.

Zu klaren Problemen der Städte und Gemeinden gehören nach dem Graphen *Haushalt* (von den insgesamt 23 abgegebenen Bewertungen sind zwölf negativ, elf positiv und eine „0" bewertet worden), *Finanzen* ((−13), (+3) und eine „0"-Note), *Wirtschaftskrise* (−6) und *Finanzkrise* ((−1) und vier „0"-Bewertungen).

Negative Wertungen bekamen auch *Ausgaben_städtische* (−3), *Steuereinnahmen* (−3) und *Schulden* (−4). Positiv bewertet wurden dagegen *Wirtschaftsaufschwung* (+7) und *Sparmaßnahmen_Einsparungen* (+3). Im Ganzen haben die niederrheinischen Bürgermeister trotz der Finanznot überwiegend positiv über die städtische Finanzpolitik und mit ihr vernetze Bereiche beurteilt. *Rat* und *Verwaltung* bekamen jeweils 3 positive Gewichtungen, *Politik* hingegen eine positive und eine negative Note. *Handeln_Tun* mit 15 positiven Bewertungen, als Gesamtheit von raschen kommunalen Handlungen zur Rettung und Stabilisierung des Haushalts, sind anhand der hohen positiven Bewertung (+15) unentbehrlich, um auch zukünftig „manövrierfähig" zu belieben [L12]. Im Vergleich zum vorherigen Graphen *Wirtschaft* (Abb.17) sind auch hier *Verantwortung* (+14), *Investitionen* (+18) und *Zukunft* (+32) sehr hoch bewertet worden. *Bauarbeiten* und *Schuldenabbau* bekamen jeweils 3 positive Bewertungen.

Betrachtet man die Gesamtheit der Ergebnisse, dann erhalten wir eher ein negativ bewertetes Bild der städtischen Haushalte.

Natürlich hat die globale Finanz- und Wirtschaftskrise auch in Goch ihre Spuren hinterlassen und sie wird es auch im kommenden Jahr tun. Der städtische Haushalt muss 2010 ein Defizit in Höhe von 8,3 Millionen Euro verkraften. Dabei steht eins fest: Dieses Defizit ist nicht hausgemacht! [F22]

Auch in der nächsten Sinneinheit wird auf das unvermeidliche Fortdauern der finanziellen Schwierigkeiten hingewiesen:

Diese negative Entwicklung hat sich mit der Einbringung des Haushalts 2010 bedauerlicherweise fortgesetzt. Der Haushaltsentwurf weist einen Fehlbetrag von 7,5 Mio. € aus. Die fehlenden finanziellen Mittel müssen nun der Ausgleichsrücklage entnommen werden. [D57]

In Städten und Gemeinden sind fast alle Bereiche des öffentlichen Lebens von Subventionen städtischer Haushalte abhängig, was im Graphen *Haushalt* (Abb.18) durch die Vernetzung der einzelnen Schlüsselbegriffe sichtbar wird. Unter dem hohen Haushaltsdefizit leiden nicht nur *Finanzen*, sondern auch Stadt, Gemeinde, Wirtschaft und schließlich auch die BürgerInnen selbst. Aktives und kooperatives *Handeln_Tun* aller Beteiligten könnte eine allgemeine Verbesserung der Lage bedeuten:

In der Politik und in der Wirtschaft gibt es große Bereitschaft zum Handeln. In der Bevölkerung zugleich die Bereitschaft, die Dinge anzupacken, aber auch traditionelle Werte zu achten. [F12]

Milliardenschwere Defizite, Löcher in den öffentlichen Kassen, hohe Schulden oder niedrige Steuereinnahmen – damit haben heutzutage Städte und Gemein-

den zu kämpfen. Trotz all dieser Einschnitte und einer eher mäßigen Zukunftsprognose für städtische Haushalte, wird der Knotenbegriff *Stadt_unsere* überra-
schenderweise elfmal positiv bewertet.

Wir können also mit Zuversicht ins neue Jahr blicken. Unsere Anstrengungen haben sich gelohnt, wir konnten
viel tun für die Lebensqualität in unserer Stadt. Wir haben guten Grund, uns über unsere Erfolge zu freuen. Arbeiten wir mit Kraft, Mut und Vertrauen an den vor uns liegenden Aufgaben. Sind Sie mit mir, stolz auf unsere Stadt.
[D44]

Dies ist das Resultat gemeinsamer Aktivitäten der Bürger, der Verwaltung, des
Rates und der Wirtschaft, die für alle Vorteile sichern. *Stolz_sein_auf_etw* vor
allem auf die Stadt, setzt deutlich einen starken Identifikationsprozess in Gang.

Auf diese Weise haben wir ein Bild über die gegenwärtige Lage der Städte
gewonnen. Um der Frage nachgehen zu können, welches Stadtbild in der Zukunft erwünscht und zu erreichen ist, wird im Folgenden die zweite Bewer-
tungsebene der nicht bestehenden Soll-Situation am Beispiel des Assoziationsgrafen *Stadt_unsere* analysiert.

(2)   Bewertung der Soll-Situation

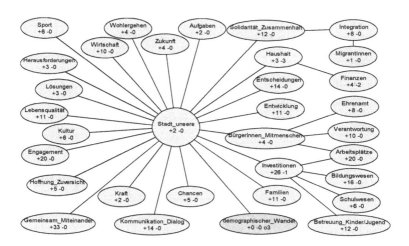

**Abbildung 18: Bewertungsgraph *Stadt_unsere* (Bewertungskodierung der
Soll-Situation). Erweiterung durch Schlüsselbegriff Investitionen. Jede der Verbindungen ist mit mind. 4 Sätzen belegt.**

Aus diesem Bewertungsgraphen geht hervor, dass *Gemeinsam_Miteinander* belegt mit 33 positiven Bewertungen der allerwichtigste Aspekt ist:

„Miteinander etwas füreinander bewegen"; das war und ist mein Leitspruch für die Geschicke und das Wohlergehen unserer Stadt und das könnte unser gemeinsamer Leitspruch für das Jahr 2010 sein. [K17]

Dabei kommt es auf *Gemeinsam_Miteinander* nicht nur in zwischenmenschlichen Interaktionen an, sondern auch auf *Gemeinsam_Miteinander* aller beteiligten Akteure inklusive der Politik, was als ein wichtiges zukünftiges Ziel interpretiert werden kann:

Im Hinblick auf die weitreichenden Weichenstellungen für die Zukunftsfähigkeit unserer Stadt fordere ich die Mehrheitsfraktionen auf, ihr starres Lagerdenken zu überwinden und gemeinsam mit anderen Fraktionen und dem Oberbürgermeister nach guten Lösungen für die Zukunft unserer Stadt zu suchen. [K73]

Investitionen in urbane Infrastruktur belegen mit 26 positiven Bewertungen gefolgt von *Arbeitsplätzen* und *Engagement* (beide erhielten jeweils 20 positive Noten) den zweiten Platz unter den wichtigen Zukunftszielen. Im Weiteren wurden auch genannt *Bildungswesen* (+16), *Kommunikation_Dialog* (+14) und *Entscheidungen* (+14). Prüfen wir alle Verbindungen der beiden letzten Knotenbegriffe, so stellen wir fest, dass verständliche Kommunikation und kalkulierbare Entscheidungen allen gleich wichtig sind, denn sie dienen dem Gemeinwohl:

Den Mut zur Veränderung zu haben und nicht an alten Zöpfen beharren, auch mal unpopulär entscheiden, aber immer auf der Suche nach Verbesserung und dem Wohlergehen unserer Stadt, so bin ich meinen bisherigen Weg gegangen und so will ich ihn – im Dialog mit ihnen - auch weitergehen! [J65]

Weitere erwünschte Verbesserungen der gegenwärtigen Situation beziehen sich auf die Erweiterung von *Betreuung_Kinder/Jugend* (+12), die Steigerung des Förderungs- und Beratungsangebotes für Kinder, freundliche Wohnmöglichkeiten für *Familien* (+11) sowie die Sicherung und die Erhöhung der *Lebensqualität* (+11). Unter den moralischen Aspekten wären mehr *Solidarität_Zusammenhalt* (+12) und *Verantwortung* (+10) in gesellschaftlichen Miteinander sehr erwünscht. Erstaunlich ist, dass *Haushalt* (+3/–3) und *Finanzen* (+4/–2) sowohl positiv als auch negativ bewertet worden sind, was einerseits als Auswirkungen der schlechten Finanzlage zu deuten sind, und andererseits auf einen strukturell ausgeglichenen Haushalt hinweist.

Diese negative Entwicklung hat sich mit der Einbringung des Haushalts 2010 bedauerlicherweise fortgesetzt. Der Haushaltsentwurf weist einen Fehlbetrag von 7,5 Mio. € aus. Die fehlenden finanziellen Mittel müssen nun der Ausgleichsrücklage entnommen werden. [D57]

Dem städtischen Haushalt fehlen 2,9 Mio. € in 2009 zum Gesamtausgleich, auch weil die Gewerbesteuereinnahmen ganz erheblich eingebrochen sind. [D55]

Darüber hinaus erwartet man für eine weitere positive Entwicklung die Intensivierung der *Integration* (+8) von BürgerInnen mit Migrationshintergrund, zunehmende Teilnahme am *Ehrenamt* (+8), mehr Investitionen in die *Kultur* (+6) wie auch das Ergreifen von *Chancen* (+4) in allen Bereichen, z.b.:

Wir werden diese Chance beherzt ergreifen, wir werden keine Möglichkeit ungenutzt lassen, in das zu investieren, was unsere Stadt reich, was unsere Stadt lebendig und zu der Stadt gemacht hat, die wir alle lieben. [H79]

Und so kann und werde ich mir die Chance nicht entgehen lassen, Sie einmal ungefiltert an meinen Einsichten, Aussichten und Absichten teilnehmen zu lassen. [G60]

Ließen sich diese Ergebnisse der untersuchten Soll-Situation realisieren, so würde die wirtschaftliche und konjunkturelle Lage als stabil gelten und so wären „die weitreichenden Weichen für die Zukunftsfähigkeit" der Städte gestellt [K73].

Nach der erneuten Überprüfung der Verbindungen zwischen den wichtigsten Schlüsselbegriffen im Bereich *Wirtschaft* und *Finanzen* wurde folgender vereinfachter Graph konstruiert.

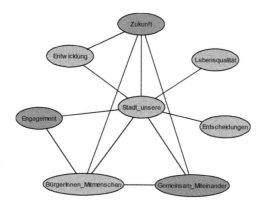

Abbildung 19: Assoziationsgraph *Stadt_unsere* (Farbkodierung nach der Anzahl der Bewertungen) Jede der Verbindungen ist mit mind. 9 Sätzen belegt.

Sehr wichtig sind nach dieser Abbildung *Zukunft*, *Gemeinsam_Miteinander* und *Engagement*. Die bereits erkannte Tendenz, dass *Gemeinsam_Miteinander*, *Stadt_unsere* und *Zukunft* urbane Handlungsfelder determinieren, bestätigt sich auch hier. Interessant ist in der Konstellation der dazugekommene Schlüsselbegriff *Lebensqualität*, dessen Relevanzzahl 28 (s. Relevanzliste, S. 57) auf eine sehr hohe Relevanz dieses Schlüsselbegriffes im Kontext der untersuchten Problematik hindeutet:

(...) Wir haben Aufgaben in Angriff genommen, die die Lebensqualität in unserer Stadt verbessern und sie zukunftsfähig machen sollen. [D49]

(...) Viele Menschen tun viel, damit es aufwärts geht und unser Umfeld mehr Lebensqualität gewinnt. [E86]

6.1.3. Kausalannahmen

Um der Frage nachgehen zu können, welche Perspektiven und welche Chancen, oder welche Lösungen und Ziele sich aus der gegenwärtigen Lage heraus (s. Ergebnisse der Relevanz- und Bewertungsanalyse) für die Zukunft der Städte und Gemeinden ergeben, sollen basierend auf den Kausalgraphen der zentralen Schlüsselbegriffe folglich Kausalannahmen gebildet werden. Dabei ist davon auszugehen, dass bestimmte kausale Handlugen, Entscheidungen, Maßnahmen für andere Handlungen, Entscheidungen, Maßnahmen etc. verändernd wirken. Ferner können Kausalbeziehungen die Bildung raumbezogener Identifikationsprozesse erläutern, indem sie wechselseitige kausale Abhängigkeiten der identifikationsrelevanten Schlüsselbegriffe darstellen. Insofern werden auch jene Schlüsselbegriffe anfokussiert, bei denen es stark vermutet wird, dass sie zu mehr *Gemeinsam_Miteinander* – im Sinne von mehr Zusammengehörigkeitsgefühl – beitragen. Ausgehend von der Bewertung der gegenwärtigen Lage erlauben Kausalannahmen, eine Argumentationsbasis für nachfolgende Entscheidungs-, Handlungs- und Entwicklungsprozesse zu bilden. Dies ist wichtig für die Entwicklung von zukunftsgerichteten Konzepten.

In Kausalgraphen wird das Wachstum eines Schwerpunkts durch einen Pfeil und das Abnehmen des beeinflussten Schwerpunkts durch einen kleinen Kreis dargestellt. Grüne Pfeile bedeuten dabei positive und rote Pfeile negative Einflüsse. Schwarze Linien mit Pfeil beziehen sich wiederum auf Einflüsse, die als teils positiv oder teils negativ beurteilt wurden. Zusätzlich ausgewählte blaue Linien mit Pfeil markieren besonders erwünschte Wirkungen.[37]

(1)   Betrachtung der sozial-demographischen Entwicklung

Im Kontext der untersuchten sozial-demographischen Entwicklungen soll vorerst der Schlüsselbegriff *Integration* auf kausale Zusammenhänge analysiert werden.

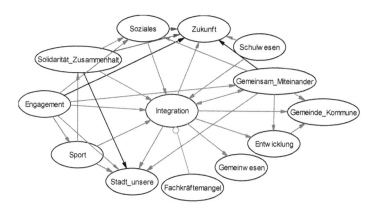

Abbildung 20: Kausalgraph *Integration*. Jede der Verbindungen ist mit mind. 1. Satz belegt.

Die ankommenden und abgehenden Pfeile markieren kausale Abhängigkeiten des Schlüsselbegriffes *Integration* zu anderen Inhalten. *Integration* wirkt beispielsweise unmittelbar positiv auf *Stadt_unsere, Gemeinde_Kommune, Entwicklung, Zukunft oder Gemeinsam_Miteinander*. Diese wiederum beeinflussen positiv *Soziales, Entwicklung* und nach dem Prinzip der Rückkopplung kehren sie verstärkt zur Ausgansposition zurück wie z.B. bei *Gemeinsam_Miteinander.* Umgekehrt geben auch andere Inhalte der *Integration* einen direkten Input, z.B.

---

[37]   Obwohl die in der Arbeit präsentierten Kausalnetze einer realen Situation entstammen, können sie auch im abstrakten Sinne für vergleichbare Situationen verwendet werden. Die überwiegend positive Kodierung erleichtert die Lesbarkeit der Zusammenhänge.

Sport, Engagement. Dass Integration im Mittelpunkt der verzwickten Beziehungen steht, bestätigt folgende Einheit:

Politik, demokratische Politik fußt auf Mitsprache; ein demokratisches Gemeinwesen ist auf Integration und Teilhabe gerichtet. Gerade hier haben Städte und Gemeinden ihren Bewohnerinnen und Bewohnern einiges zu bieten. [E13]

Der Sport hat uns lange vor Integrationskonzepten und Ganztagsbetreuungsangeboten vorgelebt, dass es darauf ankommt, Menschen mitzunehmen, zu begeistern und zu motivieren. Der Sport gehört zu den Klammern in unserer Stadt, die die Gesellschaft zusammenhalten. [I07]

Integration ist und bleibt ein wichtiges Thema der gesellschaftlichen und politischen Diskussion. Erfolgreiches Voranbringen der Integrationsprozesse durch unterschiedliche Aktivitäten wie z.B. Sport, privates Engagement oder Integrationskurse bedeuten für Städte und Gemeinden soziale Sicherheit, bessere Chancen für Migranten und folglich die Entlastung der Sozialausgaben.

Der nächste Augenmerk im Kontext der Kausalbeziehungen fällt auf den Schlüsselbegriff *Chancengleichheit.*

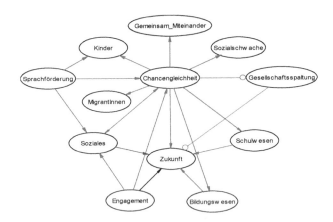

Abbildung 21: Kausalgraph *Chancengleichheit* . Jede der Verbindungen ist mit mind. 1. Satz belegt.

Bei dieser Abbildung fällt es auf, dass nur eine einzige Entwicklung rot, d.h. negativ, markiert wurde und zwar *Gesellschaftsspaltung.* Für eine sichere Zukunft bedeutet dies, diesen negativen Faktor zu eliminieren – daher der kleine Kreis am Ende. Eine Lösung bietet dieser Graph selbst: Chancengleichheit für alle Bürger würde die negative *Gesellschaftsspaltung* minimieren. Daher gilt es:

Wir alle können uns das soziale Auseinanderdriften der Krefelder Gesellschaft nicht leisten. Jede Anstrengung lohnt sich, die Defizite, die oft mit dem sozialen Umfeld begründet werden, schon in der Vorschulzeit so weit wie möglich auszugleichen. [H20]

Besonders wichtig ist nach der Abbildung 19 ein stabiler und sicherer Bereich *Soziales:* Gleichzeitig ist er als eine Voraussetzung für eine optimale Zukunftsgestaltung anzusehen.

Das soziale Arbeitsfeld unserer Zeit ist vor allem die gesellschaftliche Integration unserer Bürger und eine möglichst gute Chancengerechtigkeit für kommende Generationen. [H37]

Zudem wird deutlich, dass *Chancengleichheit* außer *Engagement* und *Sprachförderung* alle Schlüsselbegriffe direkt positiv beeinflusst, was von einer breiten Wirkung dieses Schwerpunktes in der Gesellschaft zeugt. Positiv und fördernd auf *Chancengleichheit* wirkt zum einen *Sprachförderung* –

Um die vergleichbaren Chancen aller Grundschulkinder zu erreichen, müssen in vielen Fällen auch die Eltern gefördert werden. Eltern wird Sprachförderung angeboten. Ihnen wird pädagogisches und psychologisches Fachwissen vermittelt, um ihre Erziehungskompetenz zu stärken. [H29]

– und zum anderen *Engagement*, was in dieser Sinneinheit belegt wird:

Ein Engagement aller Institutionen, die in dieser Stadt Verantwortung tragen und ein breiter Konsens in der Bürgerschaft, wenn es darum geht, die Folgen einer prosperierenden Wirtschaft, die Weichenstellungen für den Wohlstand unserer Kinder so zu gestalten, dass weite Teile der Bürgerschaft nicht auf der Strecke bleiben. [H89]

In der Konsequenz bedeutet dies: Um allen herkunftsunabhängig gleiche Chancen zu gewährleisten, ist es notwendig, allen Interessierten ein entsprechendes Förderangebot zu unterbreiten, wobei eine Selbtsinitiative ihrerseits vorausgesetzt ist. Besonders für Kinder ist es mehr als offensichtlich:

Es ist nicht nur das Gebot der Mitmenschlichkeit, sondern die Forderung der nüchtern kalkulierenden Vernunft, festzustellen, dass Krefeld alle diese Kinder braucht, dass alle ihre Chance haben müssen, damit Krefelds Zukunft eine Chance hat. [H19]

Weil mangelhafte Chancengleichheit im deutschen Bildungssystem, als eine „unentschuldbare Ungerechtigkeit" angesehen wird[38], weist der Kausalgraph

---

[38] So bezeichnete Hort Köhler diese Entwicklung auf dem Forum „Demografischer Wandel" in Berlin 2007 (s. Keine Chancengleichheit für die Kinder, unter: http://augsburgerallgemeine.de/Home/Nachrichten/Politik/Artikel,-Kinder-Chancen-KeineGerechtigkeit-inDeutschland_arid,1099393_regid,2_puid,2_pageid, 4290.html. Letzter Zugriff am 31.07.2010).

Chancengleichheit (Abb. 22) auf die Notwendigkeit einer verstärkten Förderung von gleichen Chancen für alle Kinder hin. Vor allem Migrantenkinder sollen gleiche Chancen bekommen, denn nur so können sie eine gute Ausbildung genießen. Zudem schildert er deutlich weitere kausale Abhängigkeiten: *Chancengleichheit* fördert *Integration, Soziales* oder *Gemeinsam_Miteinander*.

Vergleicht man die Assoziationsgraphen *Integration* und *Chancengleichheit*, wird man eine interessante Beobachtung machen: Viele Pfeile führen zu *Integration*, dafür aber von *Chancengleichheit* viele positive Wirkungen ausgehen. Dies führt zu einer hypothetischen Annahm, dass mehr Chancengleichheit Integrationsprobleme mitlöst und integrative Prozesse ankurbelt. Diese Schlussfolgerung lässt sich auf das kausale Ursachen-Wirkung-Prinzip zurückführen, welches besagt: „Wenn A wächst, gilt dies auch für B" (ZELGER 2004:144). Schauen wir uns nun den folgenden kontextgemäß konstruierten Kausalgraphen, der diese Abhängigkeit wiedergibt.

Abbildung 22: Kausalgraph *Chancengleichheit_Integration* (Darstellung einer hypothetischen Situation).

Als erstes Zwischenergebnis der Analyse der sozial-demografischen Entwicklungen ist festzuhalten, dass das Gemeinschaftsgefühl als Folge komplexer gemeinschaftlicher Interaktionen unterschiedlichen Charakters entsteht und auch durch diese intensiviert werden kann.

Da der Fokus der Untersuchung insbesondere auf soziale Identifikationsprozesse fällt, dürfen in diesem Kontext zwei wichtige instrumentelle Begriffe, *Kooperation_Zusammenhalt* und *Kommunikation_Dialog,* nicht fehlen. Ihre Analyse hat zum Ziel, Inhalte herauszufinden, die diese Schwerpunkte beeinflussen. Zuerst wird der Ausdruck *Kooperation_Zusammenhalt* auf mögliche Kausalbeziehungen untersucht.

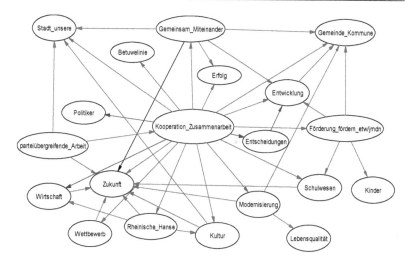

Abbildung 23: Kausalgraph *Kooperation_Zusammenarbeit*, erweitert durch den Kontenausdruck Zukunft. Jede der Verbindungen wurde mit mind. 1. Satz belegt.

Der Kausalgraph *Kooperation_Zusammenarbeit* zeigt ein dicht vernetztes Wirkungsgefüge, das aussagt, dass *Kooperation_Zusammenarbeit*, bis auf die zwei Schlüsselbegriffe *Lebensqualität* und *Kinder*, alle anderen Schwerpunkte direkt beeinflusst. Das heißt, die Veränderung dieses einzelnen Schwerpunktes könnte eine kettenartige Reaktion nach sich ziehen, die andere Schlüsselbegriffe unterschiedlich beeinflussen. Man gewinnt den Eindruck, dass eine optimale *Kooperation_Zusammenarbeit* der Akteure aller Sektoren das städtische Handeln positiv beeinflussen könnte. Auch *Gemeinsam_Miteinander* werden von diesem Schlüsselbegriff direkt beeinflusst. So kann angenommen werden, dass dadurch Identifikationsprozesse an Intensität gewinnen. Nach diesem Graphen (Abb. 24) wäre zukünftig eine optimale Zusammenarbeit in *Politik* und *Wirtschaft* sowie beim Treffen von gemeinsamen *Entscheidungen* sehr erwünscht.

Entscheidungen im Sinne und zum Wohle dieser Stadt zu treffen ist weiterhin meine und auch die Aufgabe des neu gewählten Rates, mit dem eine gute Zusammenarbeit über die Grenzen der Parteien und Gemeinschaften hinweg wünschenswert ist. Denn nur so können gute Ergebnisse zum Wohl unserer Stadt und der darin lebenden Bürgerinnen und Bürger auf den Weg gebracht werden. [E32]

Der Schwerpunkt *Kooperation_Zusammenarbeit* würde nicht nur den wirtschaftlichen Wachstum der Städte steigern und ihre Wettbewerbe auf der regionalen und überregionalen Ebene gewinnen lassen – ein Beispiel einer hervorragend funktionierenden Kooperationen ist der Städteverbund Rheinische Hanse –, sondern seine Optimierung könnte mehr *Investoren* für die heimische Wirtschaft gewinnen lassen. Die Professionalisierung von *Kooperation_Zusammenarbeit* würde die *Gemeinschaft* und *Stadt* „zukunftsfit" machen:

Liebe Krefelderinnen und Krefelder, Sie erwarten in beiden Fragen zu Recht einen parteiübergreifenden Schulterschluss, eine zielorientierte Zusammenarbeit der Mandatsträger auf allen Ebenen der Demokratie; [H88]

Ein weiteres Großprojekt, dem wir uns in Zukunft, sicherlich nicht alleine, sondern im engen Zusammenspiel mit Land und Bund verstärkt zuwenden, ist das 420 Hektar große Areal im Hauptquartier, aus dem – wie angekündigt - die Briten bis voraussichtlich 2014/2015 abziehen werden. [K58]

Eine enge Kooperation der Städte und BürgerInnen ist erwünscht, um beispielsweise die langwierige Problematik der *Betuwelinie* zu lösen. Auch in den Fragen *Kultur* oder *Schulwesen*, oder *Förderung_fördern_etw/jmdn* für Kinder und Jugend könnte somit viel getan werden. So könnte auch die Betreuung von vernachlässigten Kindern optimiert werden:

Wir hoffen, dass wir auch auf diesem Wege einen Beitrag dazu leisten können, dass Krefeld in Zukunft von Schreckensmeldungen über vernachlässigte und gequälte Kinder verschont bleibt. [H33]

Eine gelungene *Kooperation_Zusammenarbeit* setzt neue Kräfte frei, die sich für die Zukunft als Potenziale erweisen können und die den niederrheinischen Bürgermeistern Freude bereitet:

Das Besondere ist ganz gewiss, dass es durchgängig um eine gute Zusammenarbeit von Rat, Verwaltung und Bürgern geht. Ein solcher Prozess kann viele Kräfte freisetzen und die Identifikation der Bürgerinnen und Bürger mit ihrer Ortschaft und mit ihrer Stadt stärken. [E75]

Besonders glücklich bin ich darüber, dass nicht nur die Zusammenarbeit zwischen dem Rathaus und den freien Träger vorbildlich gelingt. [H21]

Daraus lässt sich das nächte Zukunftsziel definieren: die Optimierung von Kooperation und Zusammenarbeit in allen Bereichen. Zieht man die detaillierte Ansicht des Graphen 24 vor, so bekommt man durch die Erhöhung der Mindestanzahl der belegten Texte auf 2 folgende Abbildung:

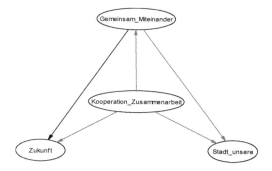

Abbildung 24: Kausalgraph Kooperation_Zusammenarbeit. Jede der Verbindungen ist mit mind. 2 Sätzen belegt.

Die Abbildung 25 belegt wiederholt die aufkommende Tendenz von der festen Konstellation von *Gemeinsam_Miteinander*, *Zukunft* und *Stadt_unsere*, nur diesmal als kausale Beziehungen. *Kooperation_Zusammenarbeit* wirkt positiv direkt auf *Gemeinsam_Miteinander*, *Zukunft* und *Stadt*. Im Erkenntnisinteresse dieser Arbeit kann angenommen werden, dass der Schlüsselbegriff *Kooperation_Zusammenarbeit* zur Intensivierung von Gemeinschaftsbildungsprozessen beiträgt. Weil es sich hier nicht nur um Kooperation und Zusammenarbeit auf der Ebene der Politik sondern auch auf der zwischenmenschlichen Ebene handelt, ist *Kooperation_Zusammenarbeit* an die Interaktionen zwischen Bürgern gebunden, die als Grundlage der gemeinschaftlichen Identifikationsprozesse gelten können.

Nun soll der weitere instrumentelle Begriff *Kommunikation_Dialog* auf seine kausalen Beziehungen analysiert werden.

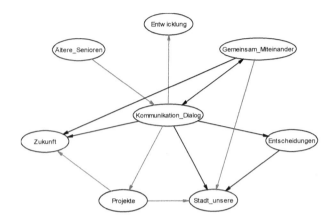

Abbildung 25: Kausalgraph Kommunikation_Dialog. Jede der Verbindungen ist mit mind. 2 Sätzen belegt.

Der Begriff *Kommunikation_Dialog* bildet insgesamt ein positives Wirkungsgefüge. In seine direkte Einflusszone fallen *Stadt_unsere*, *Zukunft*, *Entscheidungen*, *Entwicklung* und mit *Gemeinsam_Miteinander* steht der zentrale Begriff in einem wechselseitigen Wirkungsverhältnis: Mehr *Kommunikation_Dialog* intensiviert *Gemeinsam_Miteinander*. Wächst andererseits das Gemeinschaftsgefühl, so lassen sich kommunikative Interaktionen steigern.

Das ist nun mal so, und wir wären ein Stück ärmer in der öffentlichen Diskussion, wenn diese Lebendigkeit des Miteinanders nicht wäre. [J27]

Da die Bürgermeister auch in der Zukunft einen großen Wert auf Kommunikation legen wollen, wird es auch in der folgenden Aussage deutlich zum Ausdruck gebracht:

Wir müssen gemeinsam unsere Stadt voranbringen und sollten in konstruktiven Gesprächen nach guten Lösungen für unsere Stadt suchen. [L19]

Erstaunlich ist in diesem Zusammenhang die Rolle von *Senioren*, die durch ihren Einsatz unterschiedlicher Form in kommunikative Prozesse integriert werden sollten, wie z.B.:

Ich möchte einmal im Monat einen „Gesprächskreis zur Zukunft der Stadt Viersen" anbieten. Unabhängig von Politik und Öffentlichkeit möchte ich in diesem Rahmen regelmäßig mit Menschen über 60 Jahre diskutieren. [L86]

Der Grund dafür ist die Erkenntnis, dass Wissen und Erfahrungen der älteren Mitbürger ein enormes Lernpotenzial für die nachfolgenden Genrationen haben und damit für Zukunft eine wichtige Ressource darstellen:

Ich glaube, ich kann aus solchen Gesprächen vieles lernen - kann lernen, dass man aus der Distanz des Alters Dinge vielleicht ruhiger und gelassener sieht, aber die Kernfragen unseres Gemeinwesens im Auge hat. Wenn Sie mitmachen wollen, nehmen Sie einfach den Hörer in die Hand und rufen Sie mich an. [L88]

Ein intensiver und aktiver Dialog zwischen allen Beteiligten des öffentlichen Lebens setzt nicht nur neue Ideen frei und bringt die Entwicklung voran, sondern optimiert auch das Selbstbild einer Stadt:

Hoffnungsfroh und zuversichtlich auch für zukünftige Projekte stimmt mich vor allem, wie in einem offenen Dialogprozess die Bürgerschaft zusammen mit unterschiedlichsten Interessensvertretern, den Fachexperten, der Verwaltung und der Politik gemeinsam Ideen schmiedeten für ein attraktiveres Rheydt. Ein Beispiel, das durchaus Schule machen sollte. [K66]

Angestoßen von der Stadt verwalten sich die Gruppen inzwischen selbst, die Kommunikation wird immer intensiver. Man trifft sich, lernt von einander, setzt sich auf erstaunlichem Niveau auch mit modernen Medien auseinander, schreibt - der Fundus der Aktivitäten ist schier grenzenlos. Vor allem: man ist aktiv, nicht alleine, redet, diskutiert, MITEINANDER - FÜREINANDER. [M59]

Diese Sinneinheiten belegen nicht nur die Relevanz der instrumentellen Begriffe *Kommunikation_Dialog*, sondern sie dokumentieren das nächste Zukunftsziel, die Kommunikationsprozesse innerhalb einer Gemeinschaft gezielter und optimaler zu gestalten, denn Erfolg wird nicht „in Tonnen, sondern in Kontakten und kurzen Wegen gemessen", die zwischen den Kommunikationspartnern entstehen [A32].

(2)   Betrachtung der ökonomischen und infrastrukturellen Lage

Die Ergebnisse der Bewertungsanalyse zeigen insgesamt ein ausgewogenes Bild der rheinischen Wirtschaft, nur die Lage der städtischen Haushalte gestaltet sich als äußerst problematisch – *Haushalt* fungiert hier als Sammelbegriff für sämtliche Erwähnungen von finanziellen Zuwendungen, dem letztendlich die Erfüllung der öffentlichen „Kollektivbedürfnisse" obliegt.[39]

Im Folgenden wird versucht, mit Hilfe von Kausalgraphen darzustellen und zu ergründen, wie Wirtschaft die Bildung raumbezogener Identitäten beeinflus-

---

[39]   In der Wirtschaftslehre ist ein öffentlicher Haushalt „ein Oberbegriff für die Befriedigung von Kollektivbedürfnissen dienenden Einrichtungen der Gebietskörperschaften" (vgl. MAY 2006:282).

sen kann. Die Überprüfung der Verbindungen soll Klarheit darüber schaffen, woraus die gegenwärtige ökonomische und infrastrukturelle Lage resultiert und welche zukunftsgerichtete Lösungen und Perspektiven möglich sind.

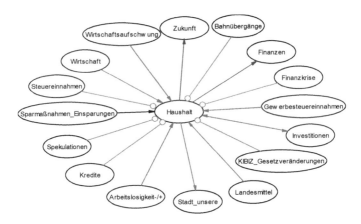

Abbildung 26: Kausalgraph *Haushalt*. Jede der Verbindungen ist mit mind. 1. Satz belegt.

Zum einem gibt dieser Kausalgraph (Abb. 27) eine transparente Übersicht über die Ursachen der schlechten städtischen Haushalte und bestätigt ihre Notlage:

An diesem Anspruch ändert nichts, dass ich dem Rat in einer guten Woche einen Haushalt vorlegen muss, der unterm Strich mit einem kommunalen Schuldenberg von 2,7 Mrd. Euro (einschl. IMD) abschließt. Nimmt man die Kassenkredite, also gewissermaßen das städtische „Dispo" dazu, dann könnte man von dem gesammelten Geld, das uns fehlt, den neuen Turm zu Dubai, den 818 Meter hohen Burj Dubai, gleich an drei Stellen unserer Stadt neu entstehen lassen. Denn der hat „nur" 1,8 Mrd. Dollar gekostet. [B67]

Negativ werden städtische Etats beeinflusst (rot markierte Linien) durch z.B. steigende Anzahl der *Kredite*, *Spekulationen*, sinkende *Steuereinnahmen* aber auch nichthausgemachte *Finanzkrise* oder *KIBIZ_ Gesetzveränderungen*. Daneben zählt auch die ortsgebundene Problematik wie beispielsweise die Beseitigung von *Bahnübergänge*n, die für städtische Haushalte eine enorme finanzielle Belastung bedeutet:

Nun soll die Stadt aus ihrem Haushalt in den kommenden Jahren für die Beseitigung der Bahnübergänge zig Millionen Euro ausgeben. Die Bandbreite der z.Zt. gehandelten Zahlen ist gewaltig. Im günstigen Fall sind es 18 Millionen €. [D17]

Insofern kann dieses Geld, das „in die Aufhebung der Bahnübergänge gesteckt werden muss, zunächst einmal nicht in die weiter notwendige Entwicklung unserer Stadt" investiert werden [D21]. Der vorgestellte Graph (Abb. 27) bietet diesbezüglich keinen Lösungsvorschlag. Allerdings kann weiterhin argumentiert werden, dass dieses Problem wie auch die anderen rot hinterlegt negativen Einflüsse beseitigt werden müssen, damit städtische Haushalte entlastet werden. Demgegenüber bringen *Gewerbesteuereinnahmen*, sinkende *Arbeitslosigkeit-/+*, stabile *Wirtschaft* oder *Wirtschaftaufschwung* sowie zusätzliche *Landesmittel* Geld in die Kassen. Zum anderen schildert der Kausalgraph *Haushalt* (Abb. 27) auch Einflüsse, die auf städtische Etats positiv wirken (grün markierte Pfeile) Hinzu zählen beispielsweise: sinkende *Arbeitslosigkeit*, *Sparmaßnahmen*, florierende *Wirtschaft*, *Wirtschaftsaufschwung*, *Steuereinnahmen*, insbesondere *Gewerbesteuereinnahmen*, oder *Landesmittel*. Je stabiler der Haushalt, desto sicherer Finanzen und Zukunft.

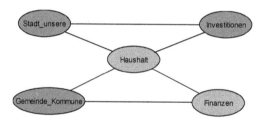

Abbildung 27: Assoziationsgraph *Haushalt* (Farbkodierung nach der Summe der Kausalkodierung) . Jede der Verbindungen ist mit mind. 6 Sätzen belegt.

Dass *Haushalt* mit allen wichtigen Schlüsselbegriffen wie *Stadt_unsere*, *Gemeinde_Kommune* sowie *Investitionen* verbunden ist, überführt der Kausalgraph *Haushalt* (Abb. 28). So kann abgeleitet werden, dass auch *Haushalt* und *Finanzen* implizit das Selbstbild und das Image (das Fremdbild) von *Stadt_unsere* verbessert und mehr Identität stiftet:

Wir sind wieder wer. Das Image und der Aufenthaltswert unserer Stadt hat sich erheblich verbessert. [E04]

Es ist schön hier in Krefeld. Lassen Sie uns gemeinsam dieses Image pflegen und verbreiten, lassen Sie uns gemeinsam an den Stellen arbeiten, an denen es noch schöner werden kann und lassen Sie uns gemeinsam mit großer Lebensfreude das genießen, was unsere Vorfahren und wir alle in dieser Stadt bereits erreicht haben. Dazu wünsche ich uns allen Glück und Gottes Segen. [I18]

Finanznot kann dagegen die Identitätsprozesse verlangsamen. Welche Rolle *Investitionen* dabei zukommt, zeigt der folgende Graph.

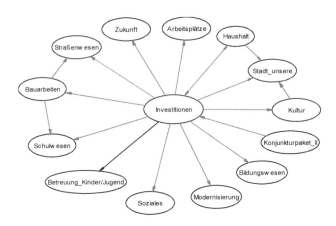

Abbildung 28: Kausalgraph *Investitionen*. Jede der Verbindungen ist mit mind. 2 Sätzen belegt.

Nach diesem Kausalgraphen wirken *Investitionen* positiv nicht nur auf den *Haushalt*, sondern auch auf weitere Sektoren, wie *Bildungswesen, Kultur, Soziales, Modernisierung, Betreuung_Kinder/Jugend* oder *Straßenwesen*.

Das heißt, die Investitionen lohnen sich in jeder Beziehung: Sowohl Bürger wie Wirtschaft und Stadtkasse profitieren von ihnen. [F21]

Auch trotz der Weltwirtschaftskriese, sollten *Investitionen* gesteigert werden:

Das Konjunkturpaket II des Bundes, aus dem wir 1,3 Millionen Euro erhalten, ergänzen wir damit faktisch um ein Konjunkturpaket der Gemeinde. Ein Volkswirtschaftswissenschaftler würde sagen, dass wir uns richtig antizyklisch verhalten, denn in Zeiten der Rezession sollte man verstärkt investieren, wenn man die Mittel hat. [A57]

Investitionssteigerung wird von den Bürgermeister als ein weiteres Zukunftsziel genannt, denn so handeln die Städte bewusst und bleiben konkurrenzfähig:

Investition in die Zukunft der Stadt heißt, sich der sozialen Verantwortung zu stellen: Dieser sozialen Verantwortung, die gerade in Zeiten eines globalisierten Arbeitsmarktes und der allgemeinen wirtschaftlichen Rezession sowie der momentanen weltweiten Finanzkrise an Bedeutung gewinnt, ist eine der besonderen Herausforderungen, die sich Bund, Länder und Kommunen gemeinsam zu stellen haben. [K26]

Die Schlussfolgerung ist: Auch wenn die Wirtschaftslage der Städte und Kommunen eher durchwachsen ist, sollen in städtischen Haushalten immer Spielräume für Investitionen einkalkuliert werden, denn Investitionen fördern die Entwicklung oder Modernisierung der Infrastruktur, sichern Arbeitsplätze, steigern die Lebensqualität, bringen soziale Strukturen ins Gleichgewicht und verbessern Finanzen. Insofern bestätigt sich die vorhin getroffene Annahme, dass stabile Wirtschaft und solider Haushalt Identifikationsprozesse einer Stadt oder einer Region determinieren können.

Da die Erhaltung, Erstellung und Instandhaltung von Infrastruktur „das Gesicht unserer Städte" nachhaltig prägen, stellt sich in diesem Zusammenhang die Frage, durch welche Faktoren wird das Selbstbild einer Stadt aufgebaut. Hierzu bietet der Kausalgraph *Infrastruktur* eine markante Ansicht.

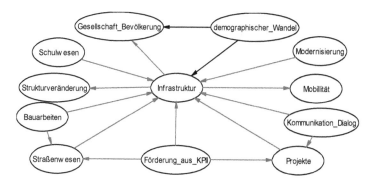

Abbildung 29: Kausalgraph *Infrastruktur*. Jede der Verbindungen ist mit mind. 1. Satz belegt.

Infrastruktur wird nach Abbildung 30 positiv geformt durch (grüne Wirkungspfeile) *Schulwesen, Straßenwesen, Bauarbeiten, Förderung_aus_KPII, Projekte, Modernisierung, Kommunikation_Dialog* oder *demographischer_Wandel*, z.B.:

Sie sei zuversichtlich, „dass die Stadt Emmerich von Infrastruktur-Projekten profitieren werde und der Autobahnanschluss schneller komme, als geplant". Als Baubeginn vorgesehen war zuletzt 2010. Franz Beckenbauer würde dazu sagen: Schaun mer mal. [D28]

Über dieses die Diskussion der letzten Wochen stark beherrschende Thema Mehrzweckhalle hinaus treiben wir aber weitere interessante infrastrukturelle Maßnahmen voran, die den Wohn- und Lebenswert unserer Gemeinde kontinuierlich erhöhen. (...) [A45]

Andersrum wirkt die gut prosperierende *Infrastruktur* fördernd auf *Strukturver-
änderung* oder auf *Gesellschaft_Bevölkerung*. Damit wird deutlich, dass *Infrastruktur* nicht nur für Gewinnmaximierungsfaktor, sondern sie auch für die Gestaltung der Umwelt und Lebensräume der Bürger wichtig ist. Allerdings finden
sich unter diesen konnotierten Beziehungen keine zyklischen Beziehungen (das
Beispiel für zyklische Beziehung wäre: A bewirkt Abnahme von B, B bewirkt
Abnahme von C, C bewirkt Abnahme von A und das Ganze mit zunehmender
Wirkung), was auf eine eher insgesamt positive Wirkungsgefüge hinweist.

Auch der Kausalgraph des Schlüsselbegriffes *Standort* bietet interessante Erkenntnisse, die die Bedeutung der ökonomischen und infrastrukturellen Aspekte
für die Bildung des Selbstbildes nochmal hervorheben.

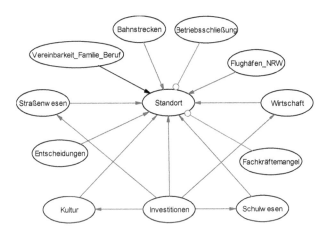

**Abbildung 30: Kausalgraph *Standort*. Jede der Verbindungen ist mit mind. 1.
Satz belegt.**

Diese Abbildung (Abb.31) veranschaulicht, welche Faktoren für die Entwicklung oder Wahl von *Standort* Stadt bestimmend sind. Einerseits sind das positive
Aspekte wie *Schulwesen, Straßenwesen, Bahnstrecken, Flughäfen*, oder *Investitionen*, die die Stadt auf der regionalen und überregionalen Ebene strategisch
positionieren, wie es aus den folgenden Satzbelegen hervorkommt:

Der Rhein, der internationale Flughafen in Düsseldorf, die Regionalflughäfen im Umland, die Autobahnen und die Bahnstrecken machen unsere Stadt zu einem attraktiven Wirtschaftsstandort. [H85]

Der Bayerkonzern etwa hat eine Garantie für den Standort Uerdingen gegeben und Investitionen in Höhe von 200 Millionen Euro für die nächsten Jahre angekündigt. [I48]

Hinzu kommen *Wirtschaft, Kultur* oder auch *Vereinbarkeit_Familie_Beruf,* – im Sinne von Familienförderung durch die Steigerung des Betreuungsangebotes für Kinder und Jungend oder die Verbesserung der Beschäftigungsmöglichkeiten für gut ausgebildete Frauen:

Vor dem Hintergrund des eben angesprochenen Fachkräftemangels [gut ausgebildete Frauen] wird deutlich, dass wir auch an dieser Stelle eine enorme Ressource vergeuden. Es geht also nicht nur um die Vereinbarkeit von Familie und Beruf, es geht auch um grundlegende Voraussetzungen für den Wirtschaftsstandort Deutschland. [M39].

Andererseits wirken *Betriebsschließung* oder *Fachkräftemangel* sehr negativ auf *Standort,* was aus der folgenden Sinneinheit hervorgeht:

Leider hat erst vor wenigen Tagen, kurz vor der festlichsten Zeit des Jahres, unsere Stadt die Nachricht erreicht, dass der traditionsreichen Milchverarbeitung am Standort Kalkar-Kehrum keine Zukunft eingeräumt wird. Die Werks-Schließung des international agierenden Konzerns „Friesland Campina" in Kalkar wurde angekündigt. [G22]

Nach diesem Belegsatz müssten für die Optimierung des Stadtbildes Arbeitsplätze gesichert oder neue Firmen gegründet werden. Insofern kann als Ergebnis festgehalten werden, dass die Konstruktion der Identität von *Stadt_unsere* auch durch infrastrukturelle und standortcharakteristische Züge bestimmt ist. Stadt erscheint als vielschichtiges Gebilde, wobei die zielorientierte Stadtplanung und -entwicklung eine hohe Priorität genießt.

6.1.4. Gestaltenbaum

Der Gestaltenbaum (zur Methodik des Gestaltenbaumes s. Kapitel 5.2.4) bietet dank seiner transparenten Struktur eine gute Gesamtansicht über die komplexe verbale Datenbasis zum einen und ermöglicht eine klare Orientierung innerhalb der wichtigsten Inhalte der Neujahrsreden zum anderen. Seine Struktur eröffnet mehrere Möglichkeiten, die Einzelinformationen zu jeweiligen Inhalten abzurufen: In die höchste Ebene „Zusammenfassung" (Z) fließen alle Inhalte des Gestaltenbaumes ein. Will man sich einen Überblick über die am häufigsten vorkommenden Inhalte der Neujahrsreden verschaffen, kann dazu die vierte Ebene der Hyperhypergestalten (HH) oder die dritte Ebene Hypergestalten (H) herangezogen werden, deren zugrunde liegenden Texteinheiten ebenfalls mit Hilfe der computerunterstützen Software gesichtet werden können. Dabei handelt es sich um Zusammenfassungen der in den Neujahrstexten sehr häufig vorkommenden Inhalte. Möchte man herausfinden, in welchem Zusammenhang sie zu den anderen Inhalten stehen und wie sie begründet sind, so bedient man die Felder der nächstliegenden Ebene der Gestalten (G), indem man den Pfeilen folgt und die mit ihnen vernetzen Textbelege abruft und sie im Kontext zu anderen analysiert. Die unterste Ebene 1 enthält die Originalaussagen der Bürgermeister, die mit der Software WinRelan® abgerufen werden können (ihr Umfang erlaubt aber nicht, sie hier vollständig abzubilden).

Der anschließend präsentierte Gestaltenbaum ist folgenden Kriterien unterworfen:

- Der Gestaltenbaum umfasst einen Ausschnitt der verbalen Datenbasis, deren Inhalte den Erkenntnissen der Arbeit und der methodischen Fragestellung konform sind.

- Der Gestaltenbaum präsentiert das individuelle Wissen der Bürgermeister im angegebenen Erhebungszeitraum. Seine Inhalte geben einen Einblick in die Problemlagen, die in diesem Zeitrahmen aus der Sicht der Bürgermeister besonders wichtig sind.

- Es ist mündlich expliziertes und zugleich für die Öffentlichkeit leicht zugängliches, verständliches Wissen.

- Der Gestaltenbaum stellt hauptsächlich das explizite Wissen dar. Da aber nach der Wissensspirale der Übergang von implizitem zu explizitem Wissen relativ fließend und kontinuierlich ist, kann nicht ausgeschlossen werden, dass auch hier gewisse Anteile des impliziten Wissens vorhanden sind, welche von den Bürgermeistern beispielsweise über emotive Wendungen zum Ausdruck gebracht worden sind.

Basierend auf den zentralen Inhalten der verbalen Datenbasis wurde folgender Gestaltenbaum konstruiert.

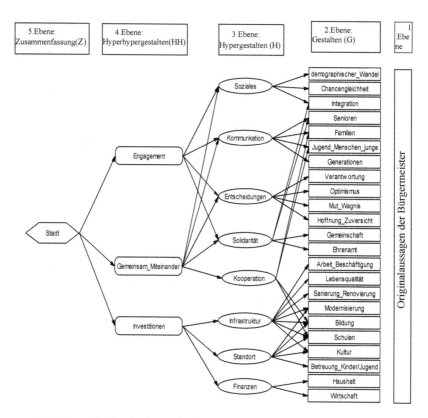

Abbildung 31: Gestaltenbaum *Stadt*.

Ergebnisse zum Gestaltenbaum *Stadt*

Jede der fünf Ebenen des Gestaltenbaumes enthält eine Gesamtdarstellung der wichtigsten Inhalte der Neujahrsreden, die bereits in der Relevanz-, Bewertungs- und Kausalanalyse näher erläutert worden sind. Im Folgenden schauen wir uns beispielhaft einige der Segmente des Gestaltenbaumes auf der Ebene der inhalt- lichen Zusammenfassungen an, um den Aufbau und die Bedeutung der einzel- nen Ebenen zu verstehen.

(1) Gesamtzusammenfassung *Stadt*

Stadt

Stadt erscheint als ein wichtiger Handlungsrahmen, innerhalb dessen sich zahlreiche mehr oder weniger verdichtete Handlungsnetze organisieren und miteinander für die nachhaltige Sache agieren. Stadt ist somit nicht nur als eine wirtschaftliche oder steuereintreibende Verwaltungseinheit zu verstehen, sondern vielmehr ein Netzwerk, innerhalb dessen aktives Engagement und Gemeinsam_Miteinander aller Akteure, also BürgerInnen, der Mitarbeiter der Verwaltung und des Rates von großer Bedeutung sind. Zusätzlich können Investitionen das Stadtbild positiv beeinflussen. Daher gilt für weitere Entwicklung: "Gemeinsam die Zukunft bewegen".

Ausgehend von dieser Ebene können beim Interesse über Hyperhypergestalten der vierten Ebene detaillierte Informationen abgerufen werden.

(2) Hyperhypergestalt *Engagement*

Engagement

Engagement bildet die Grundlage des gemeinschaftlichen Handels. Dabei handelt es sich nicht nur um das bürgerschaftliche Engagement, das auf die Nächstenhilfe ausgerichtet ist wie z.B. Ehrenamt, sondern es geht vielmehr um das Engagement jedes Einzelnen, der aus der Verantwortung heraus einen Beitrag für die Gemeinschaft leistet. Engagement und Solidarität stärken zwischenmenschliche Bindungen und tragen zur Bildung des Zusammengehörigkeitsgefühls bei. Persönlicher Einsatz ist besonders im Bereich des Sozialen bevorzugt. Zudem bringt er mehr Schub und Transparenz in die gemeinschaftliche Entscheidungsprozesse, z.B. Beteiligung an Bürgermeisterwahlen oder Bürgerentscheiden.

Die Gründe hierfür deuten die Texte der nächstliegenden Ebene 3:

(3) Hypergestalten *Soziales, Kommunikation, Entscheidungen und Solidarität*

Soziales

Angesichts der demographischen Veränderungen stehen die Städte vor der Aufgabe, *Soziales* im Sinne von geregeltem Zusammenleben der BürgerInnen, besonders zu optimieren, um unerwünschten Entwicklungen, wie z.B. Gesellschaftspaltung entgegenzusteuern. *Integration* und *Chancengleichheit* scheinen hier die bevorzugten Maßnahmen zu sein. Daher soll demographischer Wandel eher als neue Chance aufgefasst werden, damit eine sichere und gemeinsame Zukunft aufgebaut werden kann.

Kommunikation

Für die zukünftige Entwicklung der Städte ist es wichtig, dass alle BürgerInnen unabhängig vom Alter aktiv an Kommunikationsprozessen teilnehmen. Wesentlich ist dabei auch der Wissens- und Erfahrungsaustausch zwischen Generationen. In Gesprächen oder Diskussionen können neue Vorschläge für Lösungen der städtischen Probleme konzeptualisiert werden. Es ist wichtig, dass die gesamte Gesellschaft untereinander und miteinander kommuniziert. Eine permanente Profilierung der Stadt als Wirtschafts- oder Schulstandort soll daher in einer gemeinsamen Kommunikation stattfinden.

Entscheidungen

Zukunftsgerichtete Entscheidungen sollen aus einer gemeinsamen verantwortungsvollen Zusammenarbeit der BürgerInnen, der Verwaltung und des Rates hervorgehen. Dabei tragen kommunikative Interaktionen zur Kristallisierung und Konzeptualisierung neuer Ziele bei. Optimismus, Hoffnung und Mut geben wiederum Kraft, neue - sogar unpopuläre und schwierige - Entscheidungen zu treffen, neue Perspektiven für die Lösung festgefahrener Probleme erschließen und weitere Veränderungen in der Gemeinschaft herbeiführen.

Solidarität

Solidarität, ist einer der wichtigsten Grundwerte einer gut funktionierenden Gesellschaft. Der gemeinschaftliche Zusammenhalt kann durch Engagement verstärkt werden. Integrationsprozesse, bürgerschaftliches sowie ehrenamtliches Engagement intensivieren Solidarität. Von mehr Solidarität können alle profitieren: bedürftige Mitbürger, die in eine Notsituation geraten sind, Kranke oder die ganze Gemeinschaft. Ein bürgerliches Engagement ist auch in der Zukunft unentbehrlich. Denn eine Gemeinschaft ist kein Wirtschaftsunternehmen sondern ein Zusammenhalt von Menschen.

Alle vier vorgestellten Texte können durch Inhalte der Ebene 2 erläutert werden. Exemplarisch rufen wir hier den Schlüsselbegriff *Generationen* mit dem dazu kodierten Text ab.

(4)   Gestalt *Generationen*

Generationen

Die zukünftige Stärke einer Stadt liegt in der Kooperation zwischen Generationen. Daher soll zwischen Jugend und Älteren regelmäßiger Wissens- und Erfahrungsaustausch stattfinden, denn so können alle von einander besser profitieren, auf dieser Basis alte Konflikte lösen oder neue Konzepte entwickeln. Durch ein entsprechendes Förderangebot soll jede Zielgruppe eine Möglichkeit bekommen, den gemeinsamen Dialog zu finden und zu intensivieren, sei es durch Begegnungen in Jugend- oder Familienzentren, oder Treffen von Senioren und Jugend, etc. "Stadt der Generationen" ist die erwünschte Zukunftsentwicklung.

(5)   Ebene 1

Werden man konkrete Informationen gebraucht, können mit Hilfe von WinRelan die Sinneinheiten der ersten Ebene direkt gesichtet werden

6.2. Ergebnisse der Emotions- und Metaphernanalyse

Im Folgenden werden Ergebnisse der Emotions- und Metaphernanalyse präsentiert. Das Ziel der beiden Teiluntersuchungen war es herauszufinden, welche Emotionen zum einem und welche Metaphern zum anderen in den Neujahrsreden von den Bürgermeistern eingesetzt werden und wie sie die Identifikationsbildungsprozesse begleitend unterstützen können. Auf dieser Stelle muss erwähnt werden, dass sich diese beiden Teilanalysen ganz beiläufig zu der Hauptuntersuchung ergeben haben. Ihr komplettierender Gehalt, ihre interessante Interpretationsmöglichkeiten und sehr enge Vernetzung mit den Ergebnissen der Hauptuntersuchung haben mich überzeugt, diese – wenn auch nur kurz – exemplarisch vorzustellen.

6.2.1. Emotionsanalyse

Mit Gabek® konnten in die Kriterienliste „Emotionen" sämtliche Textbelege aufgenommen werden, welche Gefühlsbegriffe enthalten. Die Identifizierung selbst erfolgte manuell, indem alle Sinneinheiten auf explizite Emotionswörter durchsucht wurden. Anschließend wurden sie einerseits in die unten präsentierte Tabelle aufgenommen und in zwei Gruppen unterteilt – positive und negative Emotionen – wobei auch der kontextuelle Bezug identifiziert wurde. Bei dieser Auflistung handelt es sich um Gefühlsbegriffe wie Substantive, Verben und Adjektive. Da auch andere Ausdrücke[40] emotional markiert werden können, wurden andererseits in eine extra Liste jene Schlüsselbegriffe aufgenommen von denen ich fest überzeugt war, dass sie implizit ein Emotionspotenzial enthalten. Es handelt sich dabei um hoch belegte Schlüsselbegriffe *Stadt_unsere, wir_unser, Gemeinsam_Miteinander*. Eine Ausnahme bildet hier der Schlüsselbegriff *Heimat*. Diese kurze Gegenüberstellung gibt uns Antworten, auf die im Folge der Überlegungen (s. Kapitel 3.1.2.3.1) aufgeworfenen Fragen: Welche Gefühle in den Neujahrsreden zum Ausdruck kommen und welche Gefühlslagen die Identifikationsprozesse prägen.

	Emotionsausdruck (explizit lexikalisch)	Anzahl der Ausdrücke	Kontextueller Bezug
Negative Emotionen	Angst (Angst haben vor etw.)	11	Weltwirtschaftskrise; Konjunkturflaute; Versagen der kommunalen Selbstverwaltung; Arbeitsplatzverlust; Unsichere Zukunft; Negative Entwicklung der sozialen Struktur;
	Egoismus	2	Mangel an Engagement; Missachten der Werte
	Pessimismus	3	Wirtschaftskrise; Entwicklung;

[40] Dass ein Gefühlsbegriff häufig nicht ausreicht, um ein Gefühlserlebnis vollständig und eindeutig zu beschreiben bestätigt auch FRIEDRICH (1982:67): „Es werden im Alltag außer oder statt des Gefühlsbegriffs Wünsche, Ziele, Eindrücke, Vergleiche und Objekte, auf die sich ein Erlebnis bezieht, ausgedrückt." Da aber ihre Identifikation ohne direkten situativen Bezug schier unmöglich erschien, wurden daher überwiegend explizite Emotionsbegriffe unter die Lupe genommen. Eine Ausnahme bilden hier *wir_unsere, Stadt_unsere, Gemeinsam_Miteinander* und *Heimat*.

Negative Emotionen	Ratlosigkeit (ratlos sein über etw.)	7	Demographischer Wandel; Betriebsschließungen; Kürzung der Zahlungen vom Bund und Land; Niedrige Steuereinnahmen; Immer das Richtige zu tun; Kindervernachlässigung; Negative Entwicklungen, die die Städte nicht selbst verschuldet haben: z.B. Abbau des Personalnahverkehrs, Problematik der Betuwelinie;
	Skepsis	3	Finanzen; Zukunft;
	Unsicherheit	6	Zukunft; Ungewisses;
	Unverlässlichkeit	1	Politik
	Verantwortungslosigkeit	2	Politik
	Zweifel	4	Erfolg; Richtigkeit der Handlungen;
Positive Emotionen	Freude (sich freuen über etw.)	46	Allgemeine positive Entwicklungen; Wirtschaftsaufschwung; Bewältigung der Aufgaben; Engagement der BürgerInnen am öffentlichen Leben; Freude des Zusammenkommens;
	Hoffnung/Zuversicht (hoffen auf etw./ zuversichtlich sein)	59	Zukunft; Anstrengungen; Chancen; Lösungen;
	Mut/Wagnis (mutig sein/ wagen etw.)	17	Entscheidungen; Engagement/ Handeln/Tun; Veränderungen; Kommunikation/Dialog/Gespräche; Aufgaben; Stadt; Pläne;
	Optimismus (optimistisch sein)	17	Schuldenabbau; Entscheidungen; Zukunft; Engagement; Stadt;
	Stolz (stolz sein)	9	Stadt; das Erreichte; Bürgerschaftliches Engagement;
	Verantwortung (verantwortlich sein für etw./jmdn.)	30	Handeln/Tun; Ehrenamt; Gemeinsam/ Miteinander; Rat/ Verwaltung; Bürgermeister;
	Verlässlichkeit	8	Freunde; Bekannte, Familie;
	Vertrauen (vertrauen jmdm.etw.)	17	Wahlkampf; Finanzplanung; Zwischen den Bürgern;
	Zufriedenheit (zufrieden sein mit etw.)	19	Entwicklung/Erreichtes; Gesundheit; Gemeinschaft;

Tabelle 4: **Liste der explizit markierten Emotionen**

Es überrascht nicht, dass positive Emotionen eine viel höhere Frequenz haben als negative Emotionen. *Freude, Hoffnung, Verantwortung* prägen eindeutig den Ton der Neujahrsreden, was wir nicht nur der Textsorte und dem Anlass sondern auch der Mentalität, dem Optimismus und der Führungskompetenz der Bürgermeister zuschreiben. Durch positive Gefühle lassen sich die (Mit-)Menschen mitnehmen, zur Lösung von schwierigen Aufgaben und zu gemeinschaftlichem Engagement motivieren oder für die Stadt gewinnen. Vielmehr verstärken positive Gefühle die Vertrautheit und den Gemeinschaftssinn, welche wiederum an die konstitutiven Prozesse der Identifikationsbildung unmittelbar gekoppelt sind.

Negative Emotionen beziehen sich dagegen vor allem auf finanzielle und wirtschaftliche Themen, zum Beispiel die Wirtschaftskrise oder den Verlust von Arbeitsplätzen. Durch eine schwierige finanzielle Situation werden auch viele Städte mit der Frage konfrontiert, ob sie die kommunale Selbstverwirklichung aufrechterhalten können. Außerdem lösen Verschlechterungen im sozialen Bereich, etwa die Vernachlässigung von Kindern, Sorgen aus und viele Bürgermeister fragen sich, ob sie die richtigen Entscheidungen für ihre Stadt getroffen haben oder treffen werden.

Emotionaler Ausdruck (implizit markiert)	Anzahl der Ausdrücke	Bezug
Gemeinsam_Miteinander	88	
Stadt_unsere	149	Implizite Markierung des Gefühls der Zusammengehörigkeit
wir_unser	239	
Heimat Heimatsstadt	7	

Tabelle 5: Liste der implizit markierten Emotionen.

Gemeinsam_Miteinander

Wie die folgenden Sinneinheiten bestätigen, setzen die Bürgermeister die Ausdrücke *Gemeinsam _Miteinander* von Bürgermeistern bewusst ein, um bestimmte Gefühlslagen anzusprechen:

Selbstverständlich gibt es manchmal differierende Interessen und Konflikte, aber wir wissen auch, dass es auf das Miteinander ankommt, auf das Zusammenleben von Menschen unterschiedlicher Herkunft, unterschiedlicher Talente und unterschiedlicher Generationen. [F26]

Wichtig ist mir, dass wir gemeinsam erkennen und spüren, dass die Abarbeitung einzelner Handlungsfelder nicht zufällig, sondern Teil eines geplanten und planvollen Ganzen ist. [J69]

Es ist schön hier in Krefeld. Lassen Sie uns gemeinsam dieses Image pflegen und verbreiten, lassen Sie uns gemeinsam an den Stellen arbeiten, an denen es noch schöner werden kann und lassen Sie uns gemeinsam mit großer Lebensfreude das genießen, was unsere schöne Vorfahren und wir alle in dieser Stadt bereits erreicht haben. Dazu wünsche ich uns allen Glück und Gottes Segen. [I18]

Es ist das Gefühl der Zusammengehörigkeit, des Füreinander-Daseins, welches für das Fortbestehen einer gut funktionierenden Gemeinschaft in der immer mehr anonym werdenden Welt eine vorausgesetzt wird. Weil das Moment der Gemeinsamkeit, des Miteinanders nicht wegzudenken ist, appellieren die Bürgermeister mit den Begriffen „gemeinsam" oder „miteinander" an jedes Individuum, um deren Bewusstsein der Zugehörigkeit, der Verantwortung, Solidarität gezielt anzusprechen, denn die Interessenidentität garantiert, dass Konflikte effektiv gelöst, Entscheidungen getroffen und für die Zukunft neue Lebensperspektiven gewonnen werden und dass die Gemeinschaft stark, intakt und Herzenssache bleibt.

Gemeinsamkeit pflegen, Solidarität zeigen, das Miteinander entwickeln, das ist nach meiner festen Überzeugung das, was wir mehr als alles andere für die Zukunft brauchen, ohne dabei Probleme unter den Tisch zu kehren [M10]

Stadt_unsere

Dieser ortsbezogene Referenzausdruck drückt implizit das innige Verbundenheitsgefühl aus, welches Subjekte zu dem teils imaginär erschlossenen teils real abgesteckten Raum aufbauen. Für viele der Bürgermeister und Zuhörer ist „Stadt" ihre Heimat, auf welche sie starke Gefühle von Vertrautheit, Zugehörigkeit bis hin zur Heimatsliebe beziehen. Insoweit beinhaltet dieser Begriff neben der auf den Erfahrungsraum auch eine auf das innere Gefühl zielende Dimension. Dass dieser Ausdruck oft vorkommt, dürfte mit der Textsorte Neujahrsrede zusammenhängen, denn Bürgermister bedienen sich gerne dieses Ausdrucks, um zum einen eine besondere Stellung der Stadt hervorzuheben und zum anderen um den Gemeinschaftsinn zu pflegen und die kollektiven Identifikationsgefühle zu stärken. Zudem identifizieren sich die Bürgermeister selbst mit ihrer Stadt, setzen sich für sie beruflich und privat ein und motivieren alle Bürger dazu, sich den zukünftigen Herausforderungen gemeinsam und verantwortungsvoll zu stellen:

Mehr denn je zuvor liegt in den Händen dieser Mitbürgerinnen und Mitbürger eine besondere Verantwortung für die Zukunft unserer Stadt. Darüber wird später noch im Einzelnen zu sprechen sein. [G70]

Wir werden diese Chance beherzt ergreifen, wir werden keine Möglichkeit ungenutzt lassen, in das zu investieren, was unsere Stadt reich, was unsere Stadt lebendig und zu der Stadt gemacht hat, die wir alle lieben. [H79]

Wir_unser

Personal- und Possessivpronomina „wir" und „unser" wurden in diese Liste aufgenommen, nicht weil sie mit 239 Textbelegen am meisten vorkommen, sondern weil ihnen bei der sprachlichen Identitätskonstruktion eine besondere Rolle zugeschrieben wird (vgl. WODAK et al. 1998:94)[41]. Ihre Verwendung kann hier sowohl textsortenspezifisch als auch situationsbedingt sein, wobei es nicht nur zwischen Redner- und Hörer-Wir differenziert werden kann. Die Bürgermeister drücken mittels des Personalpronomens „wir" Solidarität und Zugehörigkeit zur Gemeinschaft aus und das Verbundenheitsgefühl, welches alle Anwesenden zusammenschweißt. Zudem gewinnt der Ausdruck der kollektiven Identität „wir" seine integrierend-bindende Wirkung und zwar nicht zuletzt in Bezug auf gemeinsame Werte, sondern in der dialogischen Auseinandersetzung nach innen und „in der kategorialen Abgrenzung nach außen", z.B. „*wir* Krefelder" oder „*unsere* schöne Stadt Emmerich". Neben diesen Funktionen erfüllt „wir" auch die appellative und paternalistische Funktion, die teils aus der Situation und teils aus der Textsorte resultiert, deren Ziel es ist schließlich, das Gemeinschaftsgefühl zu intensivieren, was auch folgende Textbelege bestätigen:

Aber im Ernst, meine Damen und Herren: Ich sage, 2010 wird unser Jahr! Denn wir dürfen nicht zulassen, dass sich ein Anflug bleierner Schwere über uns alle legt, der uns den Blick für das Machbare nimmt. [B60]

Wir sind faktisch schuldenfrei. Wir haben mit einer Rekordrücklage Reserven für eine schwierigere Zeit. Die langjährige Arbeit unserer schon fast legendären interfraktionellen Sparkommission trägt Früchte. [A33]

---

[41]   Diese Annahme fußt auf dem diskursanalytischen Ansatz von WODAK et al (1998), die behaupten, dass Personenreferenzen, darunter auch Personalpronomina, bei der sprachlichen Konstruktion von Identität bedeutend sind: „Das Wir ist (…) eine sprachliche Form, die dazu verwendet wird, Gleichheit zu implizieren" (vgl. ebda:99). Bei dieser Untersuchung wird diese Gleichheitskategorie um das Zusammengehörigkeitsgefühl erweitert.

Passen wir also auf, dass wir das Jahr nicht zerreden, bevor es überhaupt angefangen hat, und hüten wir uns davor, in eine Art Duldungsstarre zu verfallen und auf Tauwetter zu warten. Nichts kann Duisburg weniger gebrauchen als eine solche Haltung. [B03]

Bleiben wir auf Kurs. Und dieser Kurs heißt: Im Miteinander ist Duisburg so stark wie kaum eine andere Stadt! [B38]

Heimat

Überraschend ist die geringe Gebrauchshäufigkeit des Schlüsselbegriffes *Heimat* (8 Belege). Vielleicht ist es so, weil die Identifikation und das Heimatsgefühl nicht wie vermutet mit der expliziten Benennung des Wortes „Heimat" sondern des Schlüsselbegriffes *Stadt_unsere* oder der konkreten Stadt oder Region eintrifft. Denn im „allgemeinen Sprachgebrauch ist Heimat zunächst auf den Ort bezogen (…), in den der Mensch hineingeboren wird, wo er die frühen Sozialisationserlebnisse hat, die weithin Identität, Charakter, Mentalität, Einstellungen und schließlich auch Weltauffassungen prägen."[42] Und in der Tat sprechen die Bürgermeister in diesem Zusammenhang von der „Heimatstadt", von „der heimischen Wirtschaft", und davon, wie die Attraktivität einer Stadt gesteigert werden kann, um allen Bürgerinnen und Bürgern „ein Gefühl von Heimat" zu bieten.

Jungen Familien ausreichende Angebote an Wohnraum und eine den individuellen Bedürfnissen entsprechende Kinderbetreuung anzubieten, den nachfolgenden Generationen Bildungschancen zu eröffnen und den älteren Menschen ein Gefühl von Heimat, Sicherheit und Geborgenheit zu bieten, sind unsere zukünftigen Handlungsfelder. [K39]

Sie verschaffen sich Gehör, egal, ob es um einen modernen Weihnachtsbaum, Personal im Rathaus, Energie-, Verkehrs- oder Planungsfragen geht. Ich werte dieses als Zeichen, dass Sie sich Ihrer Heimatstadt verbunden fühlen. [N34]

Der Diskussionsstoff wird uns also auch im kommenden Jahr nicht ausgehen. Denn - auch wenn der Niederrheiner an sich eher als wortkarg gilt, auf die Weseler und Weselerinnen trifft das nicht zu. Kritisch interessiert nehmen die Bürgerinnen und Bürger Anteil am Geschehen in ihrer Heimatstadt. [N33]

Zudem wird der Bezug deutlich auf die Wahrzeichen oder Aktivitäten genommen, mit denen eine Stadt oder Region assoziiert werden, z.B.: das Rathaus, das Bildungsangebot, die Aktion Weihnachtsbaum oder die aktuelle Energie-, Verkehrs- und Planungsproblematik.

---

[42] „Der Heimatbegriff im Brockhaus-Enzyklopädie." Unter http://www.transodra-online.net/de/node/1380. Zuletzt abgerufen am 01.06.2012

6.2.2. Metaphernanalyse

Metaphern wird ein eigenständiger Ergebnisteil eingeräumt, um der These Rechnung zu tragen, dass Metaphern bei der Konzeptualisierung raumbezogener Identitäten eine wirklichkeitskonstruierende Rolle spielen (s. Abschnitt 3.3). Die Analyse, die eine funktionell-pragmatische Sicht[43] hat, will zum einen jene Metaphern erfassen, die die abstrakten räumlichen Identitäten dem Publikum des Neujahrsempfanges erlebbarer und fassbarer machen. Zum anderen will sie Metaphern auf ihre Funktionen bei den Identifikationsbildungsprozessen hin untersuchen. Auch für diese Teiluntersuchung wurde eine extra Kriterienliste angelegt, in die Metaphern-haltige Sinneinheiten aufgenommen wurden, wobei zwischen konventionellen und innovativen Metaphern differenziert wurde. Die Auswertung der Textbelege ergab eine umfangsreiche Sammlung, deren ausdrucksstarke Metaphern den drei folgenden Konzeptbildern zugeordnet wurden.

1. Konzeptbild „Organismus"

K52] Manchmal braucht es eben einen besonders langen Atem (...).

[L63] Gesunde Wirtschaft und gesunder Handel sind die Grundlage für die Zukunft unserer Stadt.

[B27] (...) einige schmerzhafte Lücken in kommunaler Infrastruktur schließen können(...).

[G08] (...) neue Perspektiven für das „Herz der Stadt" (...).

[G89] (...) die Gesundung unserer kulturellen Einrichtungen.

[H59] (...) die Stadt ist gewachsen statt zu schrumpfen (...).

[H80] Die Seele unserer Stadt (...).

[H86] Aber auch mit Blick auf die Versorgungsadern (...).

[H86] (...) die Lebensströme durch unsere Stadt fließen.

[H86] (...) dass die Infarkte zwar verhindert, aber angrenzende Organen nicht über Gebühr belastet werden.

[I22] Wenn wir die Kräfte bündeln (...).

[L52] Durch den wirtschaftlichen Aufschwung bekommen wir wieder Luft zum Atmen (...)

[L55] Es geht dem ehemals todkranken Patienten Stadtfinanzen zwar etwas besser.

[M61] (...) Viersen kann mit breiter Brust auch in schwierigen Zeiten bestehen.

[69] Hohe Aufgabensteigerung und gleichzeitig sinkende Einnahmen schnüren uns die Luft ab.

---

[43]   Diese Art von Metaphernanalyse, die die aus dem Kontext herausgelösten und damit ihrer „argumentativen und thematischen Einbettung beraubten Metaphern" auf ihre Rolle bei der Identifikationsprozessen hin untersucht, ist nach MARXHAUSEN (2010: 218) ein wichtiger Schritt bei der Erfassung der potenziellen Identitätselemente.

2. Konzeptbild „Maschinen"

[B38] Bleiben wir auf Kurs.

[J05] (...) unser Schiff „Stadt Moers" wird den Hafen „Zukunft" erreichen.

[B64] (...) nicht nur Local, sondern auch als Eisbrecher versteht und positiven, zupackenden Geist in der Stadt vermittelt.

[E78] Immer neue Löcher taten sich auf, hervorgerufen durch faule Kredite (...).

[G91] (...) dass wir alle nachträglich die auftauchenden Klippen zügig aus dem Weg räumen können (...).

[H20] Wir alle können uns das soziale Auseinanderdriften der Gesellschaft nicht leisten.

[I47] (...) positive Signale, die uns für 2010 Rückenwind geben.

[I83] (...) dass eine Stadt wie ein riesiges Schiff nur von einer guten Mannschaft gesteuert werden kann!

[I84] Nur eine gute Mannschaft kann den Zielhafen „Zukunft" erreichen!

[L12] (...) dass wir wieder manövrierfähig werden.

[L15] (...)die weitreichenden Weichenstellungen für die Zukunft unserer Stadt erfordert.

[N14] Wir haben die Weichen gestellt

[B80] (...) die Lokomotive und nicht der Anhänger zu sein.

[B81] 500 Lokomotiven, das verspricht jede Menge Dampf und eine neue Bewegung.

[C24] (...) wir fahren momentan durch einen Tunnel (...).

[C24] Heute sage ich, wir sind aus dem Tunnel heraus.

[E55] Eine Entwicklung, bei der die Stadt Geldern vorn im Cockpit der mobilen Urlauber sitzen möchte.

[H89] (...) die Weichenstellungen für den Wohlstand unserer Kinder so zu gestalten (...)

3. Konzeptbild „Weg"

[I97] (...) auch in diesem Jahr werden wir unseren Weg konsequent weitergehen.

[J50] (...) die aufgezeichneten Wege mögliche Wege für eine Zukunft (...) sind.

[J15] Sie mitnehmen auf einen mutigen Weg des Neuen.

[J97] (...) auf einem guten Wege sind (...).

[K42] Dieser Weg muss konsequent fortgesetzt werden.

[K52] Der Weg ist geradlinig und mitunter auch steinig.

[L54] Aber wir sind lange nicht über den Berg (...).

[I84] (...) die Reisestationen letzten Jahres gemeinsam betrachten.

[L62] Wir gehen in Viersen neue Wege (...)

[M63] (...) sollten wir auf diesem Weg weiter machen(...).

[G67] (...) dass wir den Weg in die Zukunft gehen können.

[H40] (...) diese neuen Wege der Förderung der Kinder und Jugendlichen beschreitet.

[K52] Der Weg ist eben nicht immer geradlinig und mitunter auch steinig.

[F90] (...) beschreitet die städtische Finanzverwaltung (...) Neuland.

[G75] (...) es geht aufwärts aus der Talsohle des Strukturwandels (...).

[H26] Wir sind auf dem guten Weg.

[H89] (...) dass weite Teile der Bürgerschaft nicht auf der Strecke bleiben.

4. Konzeptbild „Mannschaft"

[184] Nur eine gute Mannschaft kann eigene, neue Wege finden!

M16] (…) das Miteinander auf einem hervorragenden Weg ist.

[183] (...) dass eine Stadt (…) nur von einer guten Mannschaft gesteuert werden kann!

[184] Nur eine gute Mannschaft kann den Zielhafen „Zukunft" erreichen!

Die vier Bildfelder, „Organismus", „Maschinen" (Schiff, Zug, Fahrzeug oder Flugzeug), „Weg" und „Mannschaft" legen nahe, dass sich die niederrheinischen Bürgermeister überwiegend konventioneller Naturalisierungs-, Anthropomorphisierungs- oder Mechanisierungsmetaphern bedienen, um den Bürgern das Stadtbild zu vermitteln und neue strategisch-konzeptionelle Metaphern eher eine Ausnahme sein dürften. Einerseits vergleichen sie die Stadt mit der Natur („die Talsohle des Strukturwandels", „der Weg ist geradlinig und mitunter steinig", „Neuland"), oder es werden ihr menschliche Eigenschaften zugesprochen (z.B.: Seele, Brust, Herz, Adern, etc.). Auch die Zahl der Krankheitsmetaphern (z.B.: Herzinfarkt, akute Luftnot, Schmerzen), die die Schwachstellen des finanziellen Systems problematisieren, ist beträchtlich und deutet auf eine Reformnotwendigkeit hin, um den „todkranken Patienten" (die Stadtfinanzen) zu retten. Andererseits wird die Stadt mechanisch konzipiert als Schiff, Zug, Rennauto oder Flugzeug, deren Funktionsfähigkeit von der präzisen Mechanik der Einzelteile abhängt. Sehr charakteristisch ist auch die Wegmetaphorik: Kurs-, Reise- und Bewegungsmetaphern implizieren die Notwendigkeit einer konsequenten und zielgerichteten Entwicklung. Die Mannschaftsmetaphorik impliziert wiederum die Notwendigkeit der Hand-in-Hand-Arbeit aller Individuen, um gemeinsam „den Hafen der Zukunft" zu erreichen. Das Moment des Miteinanders erscheint hier als eine wichtige gemeinschaftliche Qualität. Weil die Stadt „ohne Luft" (solide Finanzen) nicht überlebensfähig ist und ohne starkes Herz oder gesunde Lunge (Wirtschaft, Handel, Kultur, Soziales) nicht optimal funktionieren kann oder weil die Stadt nur von „einer guten Mannschaft gesteuert werden kann" (kooperative Gemeinschaft), um den Hafen (Zukunftsziele) zu erreichen, wird es sichtbar, dass Metaphern als „besondere Kategorie des Denkens und Erlebens" komplexe Inhalte der sozialen, ökonomischen und wirtschaftlichen Entwicklungen in den Städten und Regionen erfassen und strukturiert wiedergeben.

Die hohe Frequenz der Metaphern lässt auf ihre möglichen Funktionen schließen: durch ihre recht häufige Verwendung mögen die Bürgermeister zum einen im Rahmen des feierlichen Neujahrsempfangs eine besondere Atmosphäre der Intimität zwischen dem Redner und den Zuhörern herstellen. Zum anderen erfüllen die Metaphern hier die Funktion des Verständlichmachens, indem sie schwer fassbare und komplexe Inhalte pointiert auf den Punkt bringen. Mitunter kann der Metapherngebrauch bezwecken, die negativen Entwicklungsursachen zuhöherfreundlich zu problematisieren und die Bürger und Bürgerinnen als mitgestaltende Subjekte zu gemeinnützigen Leistungen zu motivieren. Die nächste „Funktion der Spielfreude" ist hier so zu verstehen, dass die Bürgermeister die Aufmerksamkeit und Interesse des Publikums an neun Inhalten wecken und sie zum Umdenken bewegen wollen.

6.3. Zusammenfassung der ausgewählten Ergebnisse zur thematischen Relevanz von Schlüsselbegriffen und operationale Definition der raumbezogenen Identität Stadt

Ergebnisse der Assoziationsanalyse

Der Assoziationsgraph *Stadt_unsere* (Abb. 4, S. 67) zeigt die wichtigsten Verknüpfungen: *Lebensqualität, Zukunft, Entwicklung, Engagement, Ehrenamt, Gemeinsam_Miteinander, Solidarität_ Zusammenhalt, Kommunikation_Dialog, Entscheidungen sowie Wirtschaft, Haushalt, Investitionen* gehören zu den relevantesten Themen und prägen deutlich das Stadtbild.

Der Assoziationsgraph *Solidarität_Zusammenhalt* macht deutlich, dass ausschließlich menschliche und gemeinschaftliche Werte mit dem Schlüsselbegriff assoziiert werden (*Gemeinschaft, Ehrenamt, Menschlichkeit_Mitmenschlichkeit, Soziales* u.a., S. 66). Ökonomische, soziologische und kulturelle Begriffe bleiben außen vor.

Das Thema *demographischer_Wandel* rangiert in der Relevanzliste (S. 58f.) im Mittelfeld. Dazu passt, dass das Thema im Gestaltenbaum nur auf der Ebene der Gestalten (1. Ebene) erscheint (vgl. S. 108). Offenbar spricht dies dafür, dass

das Thema in den Neujahrsreden als Hintergrundthema präsent wird und gewissermaßen „mitläuft". Dass das Thema jedoch virulent ist, belegen die zahlrei-
chen Assoziationen (Abb. 13, S. 78). Der Begriff *demographischer_Wandel*
wird mit der zukünftigen Entwicklung der Stadt, mit dem Miteinander der Generationen (Junge und Ältere), mit dem Thema Städtebau und seniorengerechtem
Wohnen und dem Thema der Veränderung im Allgemeinen in Verbindung gebracht. Das Miteinander der Generationen wird in zweierlei Hinsicht hinterfragt:
Konflikt und Solidarität einerseits sowie die Frage, wie das Erfahrungswissen
der Älteren von den Jüngeren und von den Entscheidungsträgern im Rat genutzt
werden kann (vgl. S. 78). Bemerkenswert ist, dass der demografische Wandel
als ein komplexes Geschehen und als Auslöser vieler Wirkungen gesehen wird,
nicht jedoch als eine Größe, die gestaltet werden kann. Ob das Thema in seiner
konzeptionell-strategischen Bedeutung unterschätzt wird, ob es als Langzeit-
thema von tagesaktuellen Themen überdeckt worden ist, oder ob es eventuell als
einer Neujahrsrede weniger angemessen erscheint, muss an dieser Stelle offen
bleiben. Einige Signale sprechen dafür, dass das Thema von tagesaktuellen
Themen wie der Sicherung der Arbeitsplätze und Sozialsysteme überdeckt wird
(vgl. S. 71) aber letztendlich für die zukünftige Entwicklung ein Thema von
grundsätzlicher Bedeutung ist:

„Aber der demografische Wandel ist nicht nur eine Herausforderung an Städtebau und Infrastruktur, er ist vor allem eine Herausforderung an unser Denken" [L80].

Ergebnisse der Bewertungsanalyse

Die Bewertungsanalyse (S. 83-91) zeigt, dass sowohl bezogen auf die Ist-
Situation als auch auf die Soll-Situation (Abb. 19) die positiven Bewertungen
überwiegen. Bezogen auf das soziale System Stadt heißt das, dass die Bürger-
meister davon überzeugt sind, dass ihre Städte über materielle und immaterielle
Ressourcen verfügen, um aktuelle Krisen und künftige Probleme zu bewältigen.
Das Problemfeld, das im Untersuchungszeitraum (fast) allen Städten gemeinsam
ist, ist die Haushaltslage, d. h. die enorme Verschuldung (S. 87). Eine mögliche
Erklärung der Tatsache, dass dies die Stimmung nicht in den Bereich negativer
Emotionen drückt, ist sicherlich nicht allein der Textsorte Neujahrsrede ge-
schuldet, sondern auch dem Umstand, dass die Verschuldung vielfach als eine

Folge des Strukturwandels und des ungeklärten Konfliktes zwischen Bund und Kommunen wahrgenommen wird, also nicht bzw. nur zu einem geringen Teil als selbstverschuldet angesehen wird:

Der städtische Haushalt muss 2010 ein Defizit in Höhe von 8,3 Millionen Euro verkraften. Dabei steht eins fest: Dieses Defizit ist nicht hausgemacht! [F22]

Ergebnisse der Kausalanalyse

Ein Vergleich des Kausalgraphen *Integration* (Abb. 21, S. 93) mit dem Kausalgraphen *Chancengleichheit* (Abb. 22, S. 94) zeigt, dass von Chancengleichheit viele (vermutete) und ausschließlich positive Wirkungen ausgehen, wohingegen *Integration* (Abb. 21, S. 97) angesehen wird als das Ergebnis (Auswirkung) von ebenfalls ausschließlich positiven Ursachenfaktoren wie z. B. *Sport, Schulwesen und Solidarität_Zusammenhalt ist.* Abbildung 27 (S. 101) legt eindrucksvoll dar, welche Faktoren sich positiv und negativ auf den Haushalt auswirken. Positive Auswirkungen schreiben die Bürgermeister der Wirtschaft, dem Wirtschaftsaufschwung, den Gewerbesteuereinnahmen, den Investitionen, der Zuweisung von Landesmitteln, Sparmaßnahmen und sinkenden Arbeitslosenzahlen zu. Negative Wirkungen gehen aus von der Finanzkrise, den KIBIZ-Gesetzen, Spekulationen, Krediten, geringeren Steuereinnahmen und – im Einzelfall - der Beseitigung von Bahnübergängen als kommunaler Aufgabe.

Ergebnisse des Gestaltenbaumes

Der Gestaltenbaum (S. 108) ist evident und zeigt, dass drei Themen, die sog. „Hyperhypergestalten", direkt unter der obersten Zusammenfassung angesiedelt sind: *Engagement, Gemeinsam_Miteinander und Investitionen.* Dieses Ergebnis wird gestützt durch die Relevanzliste (S. 57), die ebenfalls diese drei Begriffe an der Spitze ausweist. Man darf daraus folgern, dass das Konzept „Stadt" überwiegend geprägt wird von den Begriffen Gemeinschaft, Mitmachen und Wirtschaftlichkeit – und zwar in einem ethischen Rahmen, die von solchen Werten wie Verantwortung, Menschlichkeit u.a. geprägt wird. Die relevanten „Hypergestalten", d. h. die Themen der dritten Ebene des Gestaltenbaums, sind: *Soziales, Kommunikation, Entscheidungen, Solidarität, Kooperation, Infrastruktur, Standort und Finanzen.* Die relevanten „Gestalten", d. h. Zusammenfassungen

der Sinneinheiten, betreffen die folgenden Themen: *demographischer_Wandel,*
Chancengleichheit, Integration, Senioren, Familien, Jugend, Generationen,
Verantwortung, Optimismus, Mut_Wagnis, Hoffnung_Zuversicht, Gemeinschaft,
Ehrenamt, Arbeit_Beschäftigung, Lebensqualität, Sanierung_Renovierung, Mo-
dernisierung, Bildung, Schulen, Kultur, Betreuung_Kinder/Jugend, Haushalt
und Wirtschaft.

Die Struktur und die relevanten Inhalte des Gestaltenbaumes lassen die raumbezogene Identität „Stadt" erfassen als:

- *Hierarchisches Konstrukt:* Der konstrukthafte Charakter des Gestaltenbaumes entspricht dem Aufbau einer urbanen Identität. Die Hierarchie ist
  so zu verstehen, dass alle Segmente des Gestaltenbaumes aufeinander
  aufbauen und sich gegenseitig determinieren. Erst ihre Ausgewogenheit
  und Stabilität untereinander garantieren die Funktionalität der Stadt.

- *Netzwerk:* Alle Akteure des öffentlichen Lebens – Bürger, Institutionen,
  Organisationen und Politik – haben sich im gemeinsamen Interesse zu
  vernetzen, um ihre Potenziale zu bündeln und zielorientiert einzusetzen.
  Diskussionsforen, Kreisgespräche, Bürgerinitiativen, interdisziplinärer
  Austausch sind einige der Vernetzungsmöglichkeiten. Das Prinzip „Jeder
  mit Jedem" fungiert als effizientes Instrument, um gemeinsames Vorha-
  ben umzusetzen.

- *Wandel:* Die städtische Identität erscheint als ein dynamischer Prozess,
  der durch gemeinsame und aufeinander abgestimmte Aktivitäten aller Akteure teils gesteuert und teils ungeplant vorangebracht wird. Da Identität
  einem permanenten Wandel unterworfen ist, erscheint die Identität Stadt
  als wandelbarer Konstrukt, der mehr oder weniger von der Transformität
  der hausgemachten Entwicklungen und in Abgrenzung zu anderen Städten angetrieben wird.

- *Organismus:* Die Stadt gleicht einem gesunden Organismus, der nur dann
  gut funktioniert, wenn jedes seiner Glieder intakt ist. *Politik, Verantwor-*
  tung, Chancengleichheit, Bildung oder *Wirtschaft* bilden das Gerüst. *In-*
  vestitionen, Solidarität, Kommunikation, oder *Kooperation* stehen für
  manche der lebenserhaltenden Maßnahmen. Auch wenn das Thema *Inves-*

titionen auch Risiken mit sich bringt, ist seine Umsetzung für weitere Bereiche maßgebend, wie z.B. *Schulen, Straßenwesen. Gemeinschaft, etc.*

Ergebnisse der Emotions- und Metaphernanalyse

Auf der Seite 117f. finden wir eine Übersicht der in den Neujahrsreden identifizierten Metaphern. Die Bildfelder „Organismus", „Maschinen" „Weg", „Mannschaft" problematisieren alltagsaktuelle Themen unterschiedlicher Bereichsfelder der modernen Stadt, sei es Politik, sei es die Gemeinschaftlichkeit oder die Zukunftsentwicklungen. Im Bereich der Ursachenerklärung negativer Entwicklungen fällt beispielsweise die Metapher „Auseinanderdriften der Gesellschaft" (S. 118) auf, die mit der Angst vor der negativen Entwicklung der sozialen Struktur korrespondiert und vielleicht die positiven Bewertungen von Gemeinschaft, Zusammenhalt und Solidarität auch als eine Form der Beschwörung erklären lässt.

Die Ergebnisse der Emotionsanalyse (Tab. 4, S. 111f) bestätigen die Ergebnisse der Bewertungsanalyse: die positiven Emotionen und positiven Bewertungen der eigenen Kräfte (Solidarität, Engagement etc.) überwiegen *„trotz all dieser Einschnitte und einer eher mäßigen Zukunftsprognose für städtische Haushalte".* An der Spitze der negativen Emotionen steht die (lähmende) *Angst* (vor Finanzkrise, Konjunkturkrise, Arbeitsplatzverlust und Versagen der kommunalen Selbstverwaltung). Nach *Angst* werden *Unsicherheit/Skepsis* (in Bezug auf die Finanzen und die ungewisse Zukunft) und *Ratlosigkeit* (in Bezug auf Steuereinnahmen, Kindervernachlässigung, Kürzungen der Zuweisungen von Bund und Land) am häufigsten genannt. Es folgen *Egoismus* (bezogen auf einen Mangel an Engagement) und *Pessimismus* (bezogen auf die Wirtschaftskrise und die demografische Entwicklung). An der Spitze der positiven Emotionen stehen *Freude, Hoffnung, Mut/Optimismus* (z.B. Mut zur Veränderung) und *Verantwortung.*

Insgesamt lässt sich sagen, dass Emotionen nicht nur als Machtinstrument und Metaphern nicht nur als Redeschmuck fungieren, um die Zuhörer zu beeindrucken, oder bei ihnen gewünschte Reaktionen hervorzurufen. Vielmehr wirken Emotionen und Metaphern konstitutiv auf die Identifikationsbildungsprozesse und die Konstruktion von raumbezogenen Identitäten. Personalpronomen „wir" oder andere implizit belegte Emotionsausdrücke *Gemeinsam_Miteinander* oder *Stadt_unsere* können als Identifikationsindikatoren aufgefasst werden. Effektiv eigesetzt intensivieren sie bei Zuhörern das Gefühl der Zusammengehörigkeit, rufen heimatliche Bindungsgefühle hervor, vermitteln das Gefühl, dass man hierher gehört und dass man hier gebraucht wird.

Metaphern können hingegen als Leitbilder zusammengefasst werden, die dabei helfen, komplexe Zusammenhänge, die schwer erfassbare Wirklichkeit sowie Zukunftsentwicklungen neu zu strukturieren und zu konzeptualisieren. Die Bürgermeister bedienten sich der rhetorischen Figur, um nicht nur ihre eigenen Erfahrungen oder Visionen und Träume auszudrücken oder abstrakte Inhalte bildhafter und verständlicher zu schildern. Vielmehr benutzen sie Metaphern, um die Realität, die Entwicklungsprobleme oder das Stadtbild und somit die wesentlichen Identitätselemente den Mitbürgern zu schildern. Zudem dienen Metaphern der Strukturierung, Organisation und Vermittlung des Wissens im Bereich der urbanen Entwicklungsfelder. Der häufige Metapherngebrauch bestätigt einerseits, dass Sprachbilder ein fester Bestandteil der Kognition sind – man denkt und lebt in Bildern – und andererseits, dass sie die Konstruktion von raumbezogenen Identitäten unterstützen, indem sie das Gemeinschaftsbild formen, den Gemeinschaftssinn und die Gemeinschaftsbindungen fördern und die städtische Identität in ihrer prozesshaften Entwicklung konzeptualisieren.

Operationale Definition der raumbezogenen Identität Stadt
Führen wir die Fäden der Ergebnisse der Relevanz-, Bewertungs-, Kausal-, Gestaltenbaumanalyse und Metaphern- und Emotionsanalyse zusammen, so können wir eine operationale Definition ableiten und die relevanteste Identität „Stadt" folgendermaßen umschreiben:

Die raumbezogene Identität *Stadt* kann definiert werden, als ein komplexes Bündel von Schlüsselbegriffen, die situationsbedingt untereinander eine Vielzahl differenzierter Vernetzungen eingehen. Ihre enge Verwobenheit zeigt den hohen Grad ihrer Abhängigkeiten und ihrer Einflussbereiche. Wird auf die Umsetzung eines Schlüsselbegriffes verzichtet oder nimmt die Entwicklung eines anderen Schlüsselbegriffs einen unerwünschten Lauf, so wird eine kettenförmige Reaktion in Gang gesetzt, die alle anderen Schlüsselbegriffe mitreißt.

Eine Stadt hat dann eine Identität, wenn alle Akteure einer Gemeinschaft, gleicherweise BürgerInnen wie auch Verantwortliche aus Politik und Wirtschaft, an der Konstituierung der Identität aktiv mitarbeiten, indem sie engagiert und kooperativ kommunizieren und an der gemeinsamen Zukunft produktiv und zielgerichtet arbeiten. Ein erreichtes Maß an stabiler Wirtschaft und sicherer Finanzen scheint neben den sozio-demographischen Entwicklungen auch ein fester Bestandteil der städtischen Identität zu sein. Sind an den Prozessen auch Emotionen beteiligt, so wird das Zusammengehörigkeitsgefühl intensiviert. Metaphorische Leitbilder bilden dagegen einen festen Orientierungsrahmen in den komplexen und schwer erfassbaren urbanen Entwicklungen und als Leitbilder werden sie von den Bürgermeistern für die Konzipierung der gemeinsamen Identität gerne verwendet.

III. Schlussbetrachtungen

7. Fazit und Ausblick

Der Ausgangspunkt dieser Studie war die Frage, wie das individuelle Wissen der niederrheinischen Bürgermeister, das in den Neujahrsreden zum Ausdruck gebracht worden ist, für die Konstruktion der raumbezogenen Identität Stadt gebraucht werden kann. Im Rahmen der empirischen Untersuchung galt es, dieses komplexe Wissen zu erschließen und zu systematisieren, um es den Entscheidern aus der Politik und Verwaltung verfügbar zu machen.

Die interdisziplinär angelegte theoretische Basis diente der Verortung und Orientierung im aktuellen wissenschaftlichen Diskurs. Zudem schaffte sie Klarheit über die verwendeten Begrifflichkeiten. Unter Rückgriff auf theoretische Ansätze zum Wissensbegriff aus der Betriebswirtschaft und aus dem Wissensmanagement wurde zum einen gezeigt, dass individuelles Wissen eine wertvolle und unersetzliche Ressource ist, welche die Basis des organisatorischen Grundwissens bildet. Das Interesse galt gleichermaßen der theoretischen Konzipierung wie den praktischen Verwendungsmöglichkeiten von Wissen. Die Wissensspirale von NONAKA und TAKEUCHI demonstrierte, wie neues Wissen generiert und zur Entwicklung von neuen Konzepten gebraucht werden kann. Das Konzept „Knowledge Democracy" zeigte uns wiederum, welchen Beitrag die zielgerichtete Anwendung des „öffentlichen Wissens" für die Entwicklung von Städten leisten kann. Die in der betriebswirtschaftlichen und ökonomischen Literatur vorgefundenen Vergleiche legten nahe, dass Stadt wohl im Sinne eines Unternehmens aufgefasst werden kann. Zum anderen bezweckte der Blick in den identitätstheoretischen Diskurs, das Verständnis raumbezogener Identitäten und ihre Bedeutung für die Zukunft zu fördern. Auf der Basis des WEICH-HART'schen Ansatzes wurde der konzeptuelle Kern raumbezogener Identitäten ergründet.

Für die Konstruktion der Identität Stadt war der Moment der Kognition ausschlaggebend. Ausgehend vom inhärenten soziokognitiven Charakter der Identitäts- und Wissensdefinitionen wurde expliziert, dass raumbezogene Identitäten gleich wie Wissen an kognitive Prozesse von Individuen gekoppelt sind, und dass sie durch das Moment der interaktiven Kommunikation entworfen und legitimiert werden. Da Emotionen mit kognitiven Komponenten eng miteinander verbunden interagieren und diese auch wesentlich beeinflussen, fiel die Entscheidung darauf, auch Emotionen mit in den Untersuchungsfokus zu rücken. Metaphern als kognitives Erfassungssystem wurden dagegen auf ihre wirklichkeitskonstruierende Rolle untersucht. Diese konnte auch bestätigt werden. Die Ergebnisse der beiden Teiluntersuchungen konnten uns davon überzeugen, dass Emotionen wie auch Metaphern an der Konstruktion raumbezogener Identitäten teilhaben und ferner diese unterstützen.

Methodische Überlegungen sowie die Operationalisierung der Methode waren für die Rekonstruktionsprozesse sowie für die operationalisierte Definition regionaler Identität Stadt von generierender Bedeutung. Die Sichtung und Auswertung der Ergebnisse des multimodalen Gabek®-Untersuchungssettings hat einerseits bekannte Entwicklungen bestätigt und andererseits eine Vielfalt an überraschenden Ergebnissen zutage gefördert. Der ermittelte Bestand an Schlüsselbegriffen half in erster Linie, die Identität Stadt zu rekonstruieren. Grundsätzlich ist davon auszugehen, dass jede Stadt a priori eine Identität besitzt. Die Frage ist nur, durch welche Schwerpunkte sie determiniert wird.

Aus der Rückschau kann die Identität Stadt als mehrdimensionales Konstrukt aufgefasst werden, in welchem situationsabhängig unterschiedliche Inhalte an Relevanz gewinnen. Aus dieser Erfahrung heraus resultierte die operationalisierte Definition der raumbezogenen Identität Stadt, da der ursprüngliche Begriff 'raumbezogene Identitäten' durch die Operationalisierung der Methode einer Verifizierung erforderte. Konform zu der intendierten Kernthese bestätigen die Ergebnisse, dass raumbezoge Identität Stadt anhand der identifizierten diskursrelevanten Schlüsselbegriffe rekonstruiert werden kann.

Bestätigt wurde auch die Annahme, dass das individuelle Wissen der Bürgermeister, das in den Neujahrsreden reichlich enthalten ist, nicht nur das analog präsentierte Wissen ist, sondern dass das Wissen die gemeinschaftlichen Identifikationsprozesse auf kommunaler und auf regionaler Ebene begleiten und prägen kann. Vielmehr ist dieses Wissen eine wertvolle Informationsquelle, aus der qua Gabek® neues Wissen generiert und organisiert werden konnte. Unter

Rückgriff auf dieses „intellektuelle Kapital" der niederrheinischen Bürgermeister konnte gezeigt werden, wie das individuelle teils explizit teils implizit kontextbezogene Wissen für die Analyse der aktuellen Lage, für die begriffliche Konstruktion der raumbezogenen Identität Stadt und schließlich für die Entwicklung von Zukunftskonzepten effektiv genutzt werden kann.

Die Textsorte Neujahrsrede kann im untersuchten Kontext als ein wertvoller Wissensfundus interpretiert werden. Dass sie auch die Identifikationsbildungsprozesse in besonderer Weise unterstützen kann, wurde durch theoretischen Überlegungen wie auch durch die Emotions- und Metaphernanalyse nahe gelegt und untermauert.

Sowohl die theoretische Rahmung als auch die empirischen Erkenntnisse liefern eine Grundbasis, an der weiter gearbeitet werden kann. Das weitere Forschungsziel wäre beispielsweise das Ergründen der Verwaltungsmöglichkeiten des ermittelten Wissens und seiner Vermittlung. Außerdem könnte mit empirischer Forschung ermittelt werden, unter welchen Umständen, Akteure des öffentlichen Lebens bereit wären, gemeinsam intensiver konsensfördernd zu kommunizieren und zu kooperieren.

Vor dem Hintergrund der präsentierten Ergebnisse lassen sich Erfolgsbedingungen formulieren, die die Identität Stadt angesichts der aktuellen Rahmenbedingungen optimieren könnten. Dazu gehören vordringlich:

- Stärkung des Gemeinsinnes, insbesondere durch die konsequente und zielorientierte Integrationsprozeese
- Aufgabenverantwortung in allen Bereichen
- Erarbeitung einer gemeinsamen Problemdefinition, ihre gezielte Verwirklichung bei der Einkalkulierung möglicher Negativentwicklungen
- Voranbringen der auf individuellem Wissens- und Erfahrungsaustausch basierten Zusammenarbeit zwischen unterschiedlichen Bereichen
- Eine Entwicklung und eine optimale Nutzung von Kommunikation und Kooperation
- Formulierung und Verfolgung von gemeinsamen Zielen

- Verbesserungswille aller Beteiligten und engagiertes Handeln zum Wohle der Gemeinschaft
- Der richtige zeitliche Ablauf der Entscheidungsprozesse auf der städtischen und interkommunalen Ebene

Die räumliche Identität Stadt erhält ein besonderes Gewicht. Die BürgermeisterInnen und andere Akteure des öffentlichen Lebens sollten sich selbst als Wissensträger und mitgestaltende Subjekte begreifen. Bürgermeistern fällt dabei die besondere Aufgabe zu, das breite Wissen zu erfassen, Verantwortliche aus der Verwaltung, Politik, Wirtschaft und Gesellschaft aktiv in die Prozesse einzubinden, damit alle gemeinsam beim Aufbau einer „gesunden Stadt" agieren. Das Moment des gemeinschaftlichen Engagements, der bereichsübergreifenden Kooperation und Kommunikation sind für die Zukunftsentwicklung von Städten und Gemeinden eine treibende Kraft, die einen nachhaltigen Konsens ermöglicht. Dabei könnte das individuelle Wissen der Bürger – nicht nur der Bürgermeister – eigespeist in Form einer Wissensbank eine essenzielle Informationsbasis für die innovative Konzeptentwicklung der städtischen Identität bilden. Wissensorientierte Städte könnten das Wissen zentral managen, von ihm gemeinsam profitieren und durch einen netzwerkartigen Wissensaustausch voneinander lernen. Vielleicht müsste dem Konzept der lernenden Stadt weitere Beachtung bei den zukünftigen Identifikationsbildungsprozessen, insbesondere von verantwortlichen Subjekten, bewusster zukommen.

IV. Verzeichnisse

8. Abbildungsverzeichnis

9. Tabellenverzeichnis

10. Literaturverzeichnis

ASCHMANN, B. (Hrsg.) (2005): Gefühl und Kalkül. Der Einfluss von Emotionen auf die Politik des 19. Und 20. Jahrhunderts. München.

ASSMANN, J. (1992): Das kulturelle Gedächtnis. Schrift, Erinnerung und politische Identität in frühen Hochkulturen. München.

BECK, H.-R. (2001): Politische Rede als Interaktionsgefüge: Der Fall Hitler. Tübingen.

BERGER, P./LUCKMANN, T. (1969): Die gesellschaftliche Konstruktion der Wirklichkeit. Eine Theorie der Wissenssoziologie. Frankfurt am Main.

BERGLER, R. (1997): Sympathie und Kommunikation. In: Piwinger, M. (Hrsg.): Stimmungen, Skandale, Vorurteile. Formen symbolsicher und emotionaler Kommunikation. Wie PR-Praktiker sie verstehen und steuern können. Frankfurt am Main, S.116-153.

BERTAU, M.-C. (1996): Sprachspiel Metapher. Denkweisen und kommunikative Funktion einer rhetorischen Figur. Opladen .

BODROW, W./BERGMANN, P. (2003): Wissensbewertung in Unternehmen. Bilanzieren vom intellektuellen Kapital. Berlin.

BORMANN, R. (2001): Raum, Zeit, Identität. Sozialtheoretische Verortungen kultureller Prozesse. Opladen.

BULLINGER, H-J. (1999): Wissen und Informationsfaktor. In: ZWF 94, S. 83-84.
DIECKMANN, W. (1975): Sprache in der Politik. Einführung in die Pragmatik und Semantik der politischen Sprache. Heilderberg.

DONK VON DE, W.B.H.J. ET AL. (2007): Identificatie met Nederland. Amsterdam.

DRUCKER, P.F. (1993): Die postkapitale Gesellschaft. Düsseldorf.

EBERT, H. (1997): Funktionen von Textstrukturen von Führungs- und Unternehmensgrundsätzen der Gegenwart. Linguistische Studien zu unternehmenspolitischen Texten. Frankfurt am Main.

EBERT, H. (2006): Handbuch Bürgerkommunikation. Moderne Schreibkultur in der Verwaltung – der Arnsberger Weg. Münster.

EBERT, H./KONERDING, K./VOGEL, H-J. (2008) Kommunikation als Schlüssel für ein Gemeinsames Europa. Plädoyer für eine effiziente Kommunikation zwischen der EU und den Kommunen. In: Innovative Verwaltung: Fachzeitschrift für ein erfolgreiches Verwaltungsmanagement. Ausgabe 1-2/2008, S. 17-19.

FELGENHAUER, T.(2007): Geographie als Argument. Eine Untersuchung regionalisierender Begründungspraxis am Beispiel Mitteldeutschland. Stuttgart.

FRIEDRICH, B. (1982): Emotionen im Alltag. Versuch einer deskriptiven und funktionalen Analyse. München.

GOLEMAN, D. (2008): Soziale Intelligenz. Wer auf andere zugehen kann, hat mehr vom Leben. München.

HAIDER, H. (2005): Emotionen als Steuerungselemente menschlichen Handels. In: Aschmann, B. (Hrsg.), S. 33-45.

HAYEK VON, F. (1945): The use of knowledge in Society. In: American Economic Reviev, 35, Nr.4, S. 519-530.

HENRICH, D. (1993): Nach dem Ende der Teilung. Über Identitäten und Intellektualität in Deutschland. Frankfurt am Main.

HINTERHUBER, H. (1996): Strategische Unternehmensführung. Bd. I, Strategisches Denken, Berlin, New York.

HOINLE, M. (1999): Metaphern in der politischen Kommunikation. Eine Untersuchung der Weltbilder und Bilderwelten von CDU und SPD. Konstanz.

HROCH, N. (2003). Metaphern in Unternehmen. In Geideck, S./Liebert, W.-A. (Hrsg.): Sinnformeln. Linguistische und soziologische Analysen von Leitbildern, Metaphern und anderen kollektiven Orientierungsmustern. Berlin, S. 123-151.

KEUPP, H./AHBE, T./GMÜR,W. (2006): Identitätskonstruktionen. Das Patchwork der Identitäten der Spätmoderne. Rheinbeck bei Hamburg.

KRAPPMANN, L. (1971): Soziologische Dimension der Identität. Strukturelle Bedingungen für die Teilnahme an Interaktionsprozessen. Stuttgart.

LAKOFF, G./JOHNSON, M. (1998): Leben in Metaphern. Konstruktion und Gebrauch von Sprachbildern. Heilderberg.

LIEBERT, W.-A. (2003): Wissenskonstruktion als poetisches Verfahren. Wie organisationen mit Metaphern Produkte und Identitäten erfinden. In GEIDECK, S./LIEBERT, W.-A. (Hrsg.): Sinnformeln. Linguistische und soziologische Analysen von Leitbildern, Metaphern und anderen kollektiven Orientierungsmustern. Berlin, S. 83-101.

LÖV, M. (2011) Lokale Ökonomie - Lebensqualität als Standortfaktor. In: Löv, M./Terizakis, G. (Hrgs.): Städte und ihre Eigenlogik. Ein Handbuch für Stadtplanung und Stadtentwicklung. Franktfurt am Main, S. 29-35.

MARSHALL, A. (1965): Prinziples of Economics. London.

MARXHAUSEN, C. (2010): Identität – Repräsentationen – Diskurs. Eine handlungsorientierte linguistische Diskursanalyse zur Erfassung raumbezogener Identitätsangebote. Stuttgart.

MAY, H. (Hrsg.) (2006): Lexikon der ökonomischen Bildung, 6. Aufl.. München, Wien.

MORAVCSIK, J. (1999): Gemeinschaftstheorie-Konfliktlösung-GABEK. In: Zelger, J./Maier, M: GABEK. Innsbruck, Wien, S. 30-39.

MORAVCSIK, J. (2003): Was Menschen verbindet. Sankt Augustin.

MOSCOVICI, S. (1981): On sozial representations. In: Forgas, J (Hrsg.): Sozial Cognition: Perspectives on everyday unstanding. London, S. 181-209.

MOSCOVICI, S. (1995): Geschichte und Aktualität sozialer Präsentationen. In: Flick, U. (Hrsg.): Psychologie der sozialen Repräsentationen. Hamburg/Reinbeck, S. 266-314.

MÜTTER, B./UFFELMANN, U. (1996): Einführung – Regionale Identität. In: Mütter, B./Uffelmann, U. (Hrsg.): Regionale Identitäten im vereinten Deutschland. Chancen und Gefahren. Bd. 4. Weinheim, S. 11-21.

NONAKA,I./TAKEUCHI, H. (1997): Die Organisation des Wissens. Wie japanische Unternehmen eine brachliegende Ressource nutzbar machen. Frankfurt, New York.

NORTH, K. (2011): Wissensorientierte Unternehmensführung: Wertschöpfung durch Wissen. Wiesbaden.

PENROSE, E.T. (1959): The Theorie of the Growth of the Firm. Oxford.

POLANYI, M. (1985): Implizites Wissen. Frankfurt am Main.

PROBST, G./RAUB, S./ROMHARDT, K. (1997): Wissen managen. Wie Unternehmen ihre wertvollste Ressource optimal nutzen. Wiesbaden.

RHEINHOLD, G. (Hrg.) (2000): Soziologie Lexikon. München.

RIJN von, S./TISSEN, R.J. (2010): The public knowledge challenge. In: Veld, R.J. (Hrsg.): Knowledge Democracy. Concequences for Science, Politics and Media. Berlin, Heidelberg, S. 187-199.

RÖSENER, B./SELLE, K. (Hrsg.). (2005): Kommunikation gestalten. Beispiele und Erfahrungen aus der Praxis für die Praxis. Dortmund.

SCHANZ, G. (2006): Implizites Wissen. München, Mering.

SCHOBER, P. (2008): Individuelles und kollektives Wissen in Organisationen. Das Verfahren Gabek® als Darstellungs- und Analyseinstrument. In: Zelger, J./Raich, M./Schober, P. (Hrsg.): GABEK III. Organisationen und ihre Wissensnetze, Innsbruck, Wien, Bozen. S.123-142.

STRAUB, J. (2004): Identität. In: Jaeger, F./Liebsch, B. (Hrsg.): Handbuch der Kulturwissenschaften. Grundlagen und Schlüsselbegriffe. Bd.1. Stuttgart, Weimar, S. 277-303.

SCHWARZ-FRIESEL, M. (2007): Sprache und Emotionen. Tübingen, Basel.

TAJFEL, H. (1982): Gruppenkonflikt und Vorurteil. Entstehung und Funktion sozialer Stereotypen. Bern.

TAYLOR, F. (1983): Die Grundsätze der Betriebsführung. München.

WEICHHART, P. (1990): Raumbezogene Identität – Bausteine zu einer Theorie räumlich-sozialer Kognition und Identifikation. Stuttgart.

WEICHHART, P. (2008): Entwicklungslinien in der Sozialgeographie. Stuttgart.

WEIGERT, M./PEPELS, W. (Hrsg.). (1999): WieSO-Lexikon. Bd.I, Betriebswirtschaft, Statistik, Wirtschaftsrecht . München, Wien.

WODAK, R/CILIA de, R./REISGL, M./LIEBHART, K./HOFSTÄTTER, K./KARGL, M. (1998): Zur diskurisven Konstruktion nationaler Identität. Frankfurt am Main.

ZELGER, J. (1999): Wissensorganisation durch sprachliche Gestaltenbildung im qualitativen Verfahren GABEK. In Zelger, J./Maier,M. (Hrsg.): GABEK. Verarbeitung und Darstellung von Wissen. Innsbruck, S. 41-87.

ZELGER, J. (2000): GABEK®-WINRELAN® in 12. Schritten. Innsbruck.

ZELGER, J. (2001): Welchen Zielen dient eine PC-unterstützte Textanalyse? oder Über Wissensdarstellung durch linguistische Netze. Innsbruck.

ZELGER, J. (2002): GABEK. Handbuch zum Verfahren Gabek®-WinRelan® 5.2. Stand vom 02.02.2002, Bd.I. Von der Problemstellung zum Zwischenbericht. Innsbruck.

ZELGER, J. (2003): Darstellung verbaler Daten durch Gabek®-Netze. Innsbruck.

ZELGER, J. (2004): Theoriebildung auf der Basis verbaler Daten durch das Ver fahren   Gabek®. In: Frank, U. (Hrsg.): Wissenschaftstheorie in Ökonomie und Wirtschaftsinformatik. Wiesbaden, Gabler.

ZELGER, J. (2007): GABEK. Handuch zum Verfahren Gabek®-WinRelan® 5.5. Stand vom 02.02.2007. Bd.II. Wissensorganisation durch sprachliche Gestaltbildung. Innsbruck.

Online-Ressourcen

Websites:
Deutscher Städte- und Gemeindebund (DStGB): Schwerpunkte. 10 Forderungen des DStGB Städtebau und Entwicklung. URL: http://www.dstgb.homepage/artikel/schwerpunkte /staedtebau_und_stadtentwicklung/index.html. Letzter Zugriff am 14.07.2010.

Der Heimatbegriff im Brockhaus-Enzyklopädie. URL: http://www.transodra-online.net/ de/node/1380. Zuletzt abgerufen am 01.06.2012

Deutscher Städte- und Gemeindebund (DStGB): Kommunalreport. Studie hohe Zufriedenheit der Bürgermeister und der Bürger mit ihnen. URL: http://www.dstgb.de/homepage/ kommunalreport/archiv_2008/hohe_zufriedenheit_der_buergermeister.html. Letzter Zugriff am 29.06.2010

Die Nordakademie und die Von Studnitz Management Consultants: Studie Wissensmanagement. Wissenstransfer und Arbeitsmarktwandel. Executive Summary. URL:http://www.nordakademie.de/fileadmin/downloads/Forschung/Studie_Wissensmanagement.pdf. Letzter Zugriff am 30.07.2010.

Gründung Rheinische Hanse. URL: http//neus.de/stadtportrait/gruendung-rheinische-hanse. Letzter Zugriff am 13.08.2010.

Keine Chancengleichheit in der Bildung. Deutschland ist ungerecht zu seinen Kindern. (30.11.2007). URL: http://augsburgerallgemeine.de/Home/Nachrichten /Politik/Artikel,-Kinder-Chancen-Keine-Gerechtigkeit-in-Deutschland_arid,1099393_regid, 2_puid,2_pageid,4290.html. Letzter Zugriff am 31.07.2010.

Wissensmanagement. URL: http//de.wikipedia.org/wiki/Wissensmanagement. Letzter Zugriff am 01.08.2010.

Online-Dokumente:

JACOB, S. (2004). Soziale Präsentationen und relationale Realitäten. Theoretische Entwürfe der Sozialpsychologie bei Serge Moscovici und Kenneth J. Gergen.URL: http://books.google.de/books?id=tZqmku7PtMC&pg=PA47&lpg=PA47&dq=moscovici+sozialpsycholo-gie+des+wissens&source=bl&ots=o99UFHiTQN&sig=F3f6GVHpVMJ7N2GY7_x2dbn42bM&hl=de&ei=WPFnTOC_OsPvOdSolcQP&sa=X&oi=book_result&ct=result&resnum=1&ved=0CBoQ6AEwAA#v=onepage&q=moscovici%20sozialpsychologie%20des%20wissens&f=false. Letzer Zugriff am 29.07.2010.

RENZL, B. (2003): Wissensbasierte Interaktionen. Selbst-evolvierende Wissensströme in Unternehmen. URL: http://books.google.de/books?hl=de&lr=&id=nfRDaPXpGcC&oi=fnd&pg=PA1&dq=Renzl,+B.+(2003):+Wissensbasierte+Interaktionen&ots=qveIh5WYGe&sig=4JA8KQAFiqGVNoRYS5SmBawSYEE#v=onepage&q&f=false. Letzter Zugriff am 30.07.2010.

WEICHHART, P. (1999a). Rambezogene Identitäten 1. Intensivkurs, Department of Human Geography Nijmegen. URL: http://socgeo.ruhosting.nl /colloquium/PlaceId02new.pdf. Letzter Zugriff am 21.06.2010.

WEICHHART, P. (1999b). Rumgezogene Identitäten 2. Intensivkurs, Department of Human Geography Nijmegen. URL: http://socgeo.ruhosting.nl /colloquium/PlaceId02new.pdf. Letzter Zugriff am 21.06.2010.

WEIGL, M. (2005): Was bedeutet Identität? Wie entsteht Identität? URL: http//identityresearch.eu/raum/Identitaet.pdf. Letzter Zugriff am 10.04.2010.

WERNERFELT, B. (1984): The Resource-Based View of the Firm. Strategic Management Journal. URL: http//web.mit.edu/bwerner/www/papers /Aresuorce BasedViewoftheFirm.pdf. Letzter Zugriff am 20.04.2010.

PERSPEKTIVEN GERMANISTISCHER LINGUISTIK (PGL)

Herausgegeben von Heiko Girnth und Sascha Michel

ISSN 1863-1428

In Vorbereitung:

Sascha Michel
Randphänomene der Wortbildung im Deutschen
Diachrone und synchrone Untersuchungen
ISBN 978-3-89821-705-7

Laura Sacia
Translating ‚You' – An Examination of German and Portuguese Address Systems
and their Descriptions in Foreign Language Reference Materials
ISBN 978-3-89821-936-5

Heiko Girnth und Sascha Michel (Hrsg.)
Multimodale Kommunikation in Polit-Talkshows
ISBN 978-3-89821-923-5

Sascha Michel und József Tóth (Hrsg.)
Wortbildungssemantik zwischen Langue und Parole
ISBN 978-3-89821-922-8

Abonnement

Hiermit abonniere ich die Reihe **Perspektiven Germanistischer Linguistik** (PGL)
(ISSN 1863-1428), herausgegeben von Heiko Girnth und Sascha Michel,

❒ ab Band # 1

❒ ab Band # ___

    ❒ Außerdem bestelle ich folgende der bereits erschienenen Bände:

    #__, __, __, __, __, __, __, __, __, __, __, __

❒ ab der nächsten Neuerscheinung

    ❒ Außerdem bestelle ich folgende der bereits erschienenen Bände:

    #__, __, __, __, __, __, __, __, __, __, __, __

❒ 1 Ausgabe pro Band   ODER   ❒ ___ Ausgaben pro Band

Bitte senden Sie meine Bücher zur versandkostenfreien Lieferung innerhalb
Deutschlands an folgende Anschrift:

Vorname, Name: _____

Straße, Hausnr.: _____

PLZ, Ort: _____

Tel. (für Rückfragen): _____ *Datum, Unterschrift:* _____

Zahlungsart

❒ *ich möchte per Rechnung zahlen*

❒ *ich möchte per Lastschrift zahlen*

bei Zahlung per Lastschrift bitte ausfüllen:

Kontoinhaber: _____

Kreditinstitut: _____

Kontonummer: _____ Bankleitzahl: _____

Hiermit ermächtige ich jederzeit widerruflich den *ibidem*-Verlag, die fälligen Zahlungen
für mein Abonnement der Reihe **Perspektiven Germanistischer Linguistik** (PGL) von
meinem oben genannten Konto per Lastschrift abzubuchen.

Datum, Unterschrift: _____

Abonnementformular entweder **per Fax** senden an: **0511 / 262 2201** oder 0711 / 800 1889
oder als **Brief** an: *ibidem*-Verlag, Julius-Leber Weg 11, 30457 Hannover oder
als **e-mail** an: **ibidem@ibidem-verlag.de**

ibidem-Verlag

Melchiorstr. 15

D-70439 Stuttgart

info@ibidem-verlag.de

www.ibidem-verlag.de
www.ibidem.eu
www.edition-noema.de
www.autorenbetreuung.de